緒　言

いとうせいこう

『世界ＳＦ作家会議』は二〇二〇年から現在までに三回、フジテレビ系列関東ローカルの深夜番組として公開され、放送終了後すぐ YouTube にディレクターズカット的な長いものが配信されるという冒険的な姿勢でも好評を博している。

重要なのは本物の、キャリアもあり名声も得ているＳＦ作家たちが実際に出演していることで、テレビ界のことを言えば通常こんなタイトルで今番組をやれば、出演者は間違いなくほとんどが芸人だろう。そこに〝ズバズバものを言う若い女性タレント〟とかが来る。

しかし例えば前世紀までは違った。『世界ＳＦ作家会議』と言えば、本当に世界ＳＦ作家会議だったのである。

そして『世界ＳＦ作家会議』が世界ＳＦ作家会議であった時代には、機械は機械であり、宇宙空間は宇宙空間であり、ニュース番組はニュース番組であった。で、そこにシミュラークルといった概念が出てきて、すべての事象は虚像だ、模造品だと言うことになった。

その時代を通過してきた私のような人間は、しかしそのシミュラークルを自在に遊ぶことが出来ると信じた。いわゆるポストモダンというやつだが、なぜならシミュラークル化する現実の中でさえ、『世界ＳＦ作家会議』はあくまでも世界ＳＦ作家会議だったからだ。我々はその真正なる世界の端っこでパロディを繰り広げていた気がする。

しかし時代は決定的に変化した。例えば米国大統領がネット上の短文サイトに頻繁にアクセスし、ごく個人的な見解を述べ続けたのは、つまり『世界ＳＦ作家会議』が世界ＳＦ作家会議ではない世界でのことであったはずだ。それこそちょっとした短篇ＳＦで遊ばれる社会像だったろう。だが諸君、現在ではそれが我々の宇宙、我々のリアルなのである。

だとしたら『世界ＳＦ作家会議』に、本物の世界のＳＦ作家たちが列席する事態はきわめて重大な特異点となろう。それは歴史を逆回転させる可能性さえある。日本からは新井素子を始めとするきら星のごとき作家たち、世界からは『三体』の劉慈欣（リウ・ツーシン）、マサチューセッツに拠点を置くケン・リュウなどなど……。

私自身は大森望顧問から過去作がＳＦであることを指摘され、この会議の司会という大任をつとめることとなった。そして会議録をまとめた本書のゲラを読んでいるうち、自分が実際ウ

企画：フジテレビ
早川書房編集部・編

早川書房

世界ＳＦ作家会議

本文イラスト／森泉岳土

目次

いとう　こんばんは、いとうせいこうです。世界SF作家会議、はじまりました。新型コロナウイルスが話題になっていますが、これによって世界が今どういうふうに変わっていくのかを最もよく知るには、SF作家に集まってもらうしかないんじゃないかと思っておりまして、SF作家の想像力に期待しております。お隣は、世界SF作家会議顧問、大森望さんです。よろしくお願いいたします。

大　森　顧問の大森です、よろしくお願いします。

いとう　確かに、七〇年代ぐらいまでは、世界の問題はSF作家がよく発言していましたし、訊かれていましたよね。

大　森　そうですね。テレビでもSF作家の人が、アポロが月に着陸してこの先どうなりますかとか、訊かれてコメントするのが仕事みたいな。

いとう　八〇年代ぐらいから訊かれなくなってしまったのかなと。なんでだかはわからないですけれども。その精神に立ち返ってやってみたいと思います。**ＳＦ作家は日々、未来のことを考えているのが仕事**ですから、**「未来のプロ」**ともいえるわけで。アフターコロナの世界はどのようになるのか、ＳＦ作家の皆さんに考えていただきたいと思います。われわれのやっていることは意義あることなんですよね。

大　森　もちろんです。どんな突拍子もないアイデアがＳＦ作家から出てくるのか楽しみですね。普通の人が考えないようなことを考えることが仕事なので、なにそれ？　と思うようなこともあるかもしれませんが、それがＳＦ作家の役目ですから。

いとう　五年、十年して、その通りだったということもいろいろあると思います。

大　森　千年後に正しかったとわかるとか。地質年代で考えるとか。小松左京さんがよくおっしゃっていましたけど、一億年もすれば人類の痕跡なんて消えてなくなるんだから、地球の歴史にとっては環境問題なんて屁でもないと。

いとう　大幅にとりましたね。

大　森　それぐらいのスケールになるとどうでもよくなるという。

いとう　ＳＦ作家が一堂に会するといえば、いま小松左京さんの話も出ましたが、今から五十年前の大阪万博の時に世界中のSF作家が集まったというのがありましたよね。

大森　国際SFシンポジウム*ですね。当時まだ、鉄のカーテンというのがあって、西側のSF作家が東側のSF作家と会うことは一切なかった。ところが、万博の年の日本で、英米カナダのSF作家とソ連のSF作家が史上初めて同席したんです。いまから五十年前、そういう歴史的なイベントが日本で行われていたんですね。

いとう　先見的じゃないですか。

大森　そうです。このシンポジウムのために来日した、『2001年宇宙の旅』で有名なアーサー・C・クラークが小松左京とテレビで対談したりね。

いとう　すごいですね。それから五十年ですか、本当にもう一度SF作家の頭脳に頼るときがきたということで、今宵、世界SF作家会議に参加する作家の皆さんをご紹介いたしましょう。

＊　国際SFシンポジウム
一九七〇年、大阪万博の年に日本SF作家クラブが世界のSF作家を集めて第一回国際SFシンポジウムが開催。冷戦下にあって、アメリカ・ソ連両国などの一流作家・評論家が史上初めて日本に集結した。

SF作家はコロナパンデミックをどうとらえたのか

いとう　さて、大森さん、すごいメンバーが集まっていますね。

大　森　SFジャパンというか、日本代表チームが結成されたという感じですね。世界SF的にも最前線に立つ人たちです。

いとう　そうですよ。新井さんがこういったところに出ていただけるとは。

新　井　面白そうでしたので。よろしくお願いいたします。

いとう　よかったです。そして、藤井さんだけが違うものを背負っていますが、どこにいるんですか、それは。

［ウェブ会議の背景が宇宙空間にあるカプセルになっている］

藤　井　これは自宅の仕事場なんです。背後に妻の仕事場があるので、さすがに隠しています。

いとう　なるほど。それは背景を作って。

新　井　作った背景なんですね。

藤　井　はい。私は作家になる前に3Dソフトウェアを制作したり販売したりしていたので、こういうのを作るのがお仕事だったので。

いとう　光の入り方とかめちゃくちゃカッコいいですもんね。僕らはテレビ局に閉じこめられてやってます。そして冲方さん。

冲　方　普通に家ですね。さっき藤井さんから背景をもらったんですけど、パソコンのスペックが足りなくて映らなかったんです（笑）。

いとう　なるほど。では藤井さんのところではけっこうすごいものが動いているんでしょうか。

藤　井　いえ、何年か前の iMac ですよ。いまどきのデスクトップであればたいていは動きますよ。

冲　方　僕が使おうとしたら、ZOOMからやめてくれというサインが出ました（笑）。

いとう　計算しきれなかったんでしょうね。そして小川さん、生活感がいいですね。

小　川　いちおうこれも、さっきセッティングしたんですよ。汚い食器とかは全部そっちに。

いとう　こういうもので人となりがわかるから。部屋で人となりが見える時代になりましたんで。今日はよろしくお願いいたします。ということで、「世界SF作家会議」、いよいよ開幕です。

いとう　まずは、今回の新型コロナウイルスのパンデミックですが、SF作家の方々はどのように見ているのか、それぞれ主張をお聞かせ願えればと思います。冲方さん、どうですか。

冲方　人類史に残る事件なのは間違いないと思うんです。人類全員が同じ体験をするということはまずなかったわけじゃないですか。しかも、みんながこれをどうにかしないといけないということで、世界中で情報交換が始まった結果、お互いが見えたわけです。ブラジルという国があるのは知っていたけど、どんな国なのか、ということは今回の事件でパッと見えたわけじゃないですか。三万人ぐらい死んだけど、それは仕方ないと言っちゃう国だ、とか。一方で、欧米もそうですが、どんな対処をするかによってお互いのパーソナリティまで見えてくるという。その結果、**全人類がここにいるんだという実感**を初めて得たと思うんです。もちろん、これは災害として悪いことではありますが、いい面としては、**「人類の日」**というものがリアリティをもって語られるようになるのではないかと思っています。

いとう　確かに、「地球規模」という言葉がしっくりきたのは初めてでした。そうなんだよな、という実感がある。

冲方　それによって、自分たちが今までどのようにして暮らしてきたのかが浮かび上がってくるわけです。問題は、これからじゃあどうしようかということ。生活の変化や、人類全体での関係性を語るときに、潜在していた問題がすべて浮かび上がってくる。人類全体が共通の現象にあったことで、個々の問題を解決しないといけない。人類全員が始業式を迎えたようなものですね。

いとう　そこからどうやってスタートするのかということですね。

大森　終業式じゃなくてね（笑）。

冲方　うっかりすると終業式になっちゃいますけどね（笑）。

大森　終業式か、始業式か、という。もしかしたら卒業式になるかもしれない。

いとう　みんなが「ステイホーム」と言うので、世界全体が夏休みに入ったような。この宿題をうまくやらないと、ダメな子といい子ということがあらわになっちゃうなと思いました。小川さんはいかがでしょうか。

小川　そうですね。正直にいうと、小説家という職業はコロナウイルスの影響をさほど受けないんですよね。一見すると無関係な現象といってしまうと言葉は悪いのですが、基本的に作家は、もとからステイホームしているようなものなので、出勤もしないし、人とも会わないし、密とかともあまり関係のない職業です。コロナウイルスが流行し始めて世界中が大変なことになっている中で、自分のような立場の人間がコロナウイルスについて語ってもいいのか。考えることに意味があるのか――健康的にも経済的にも、日常をそれほど乱されていない者として――と、しばらく考えたんですけど、いま書く側としてはコロナウイルスによって周りの環境があまり変わらなかったとしても、読者は、それによって健康的、経済的に多大な影響を受けています。今回の番組もですが、僕に来る仕事も「コロナウイルスについてどう思いますか?」というものです。「コロナウイルスに関連するSF小説を紹介してください」とか、そういう仕事が来ます。毎日コロナについて考える日々が生まれました。考えさせられてしまった、というのが、僕の今回のパンデミックにおける正直な立場ですね。冲方さんもおっしゃっていたことにつながるところもあると思いますが、人類が直面した難しい問題というのは、新型コロナウイルスでロックダウンをして非常事態宣言が出たりして、都市がどんどん封鎖されていって、人々が外出しなくなっていく中で、健康を害してしまう。感染で健康を崩してしまう人と、健康な人が日常を営むこと――出勤をしたりとか、花見やバーベキューをしたり、というのは今年はほとんどなかったと思いますが、人と集まることといった楽しみを今後どうやって両立させていくのか、どういうバランスで考えていくのかということ。極端な言い方をすれば、**命の価値と、命を守られている人が日々の生活を向上させることのバランス**をどうやって取っていくのかを、今後考えていかなければならないのかなと思いました。

いとう　そうですね。もちろん、いったんは収束しても、始まったら波のように何度もつきあっていかないといけないとなると、同じようなことは花見の時にもう一度考えないといけないし、各国の判断は違うだろう。というのは、冲方さんもおっしゃるようなそれぞれの差異があって、それに縛られていくんですよね。

小川　そうですね。個人個人も決断をしないといけないと思います。作家はあまり決断しないでいいので楽ですが。

いとう　あまりゴホゴホいう編集者が来るようだったら、玄関のむこうでしゃべってもらうことになるけどね。新井さんはどうですか？

新井　パンデミックって、**「いつか来るものだろう」**とずいぶん前から思っていたので、単純に「ああ、来たな」という気持ちです。絶対に起こるものじゃないでしょうか。そもそも、こんなに**世界が狭くなっていて、**この狭さで感染症が起こったらパンデミックにならないわけがないと思っていたんです。二十一世紀はエマージングウイルスの時代になるんじゃないかと。歴史的にいって、人類は疫病とずっと共存してきたわけじゃないですか。中世の頃にペストが流行ったとか、スペイン風邪が流行ったとか。

いとう　SARSやMERSが、とか。

新井　それが大事になっていない時代っていうのは、昔の人は現代のように移動しなかったからなんですよ。スペイン風邪の時も、日本人はそんなに移動しなかったし、今は圧倒的に移動していますよね。私が子供の時には「夢のハワイ」といって、ハワイに行くのが一生に一度のことだったのが、今では年に一度はどこかに行ってますよね。それはべつに、日本人が海外旅行によく行く、ということではなくて、およそすべての外国の人がみんな移動しています。エボラが限定的で済んだのは、ものすごく凶悪なウイルスで、感染したらあっという間に重篤な症状になって、移動ができなくなる、というのであまり拡がらなかったのですが、今回の新型コロナウイルスは潜伏期が二週間ぐらいで……。

いとう　そうなんだよね、優しい顔をしてるやつなんだよね。

新　井　理屈的には致死率が低いですよね。圧倒的にパンデミックしやすい病気じゃないですか。新型コロナもあと数年すればずいぶん落ち着くとは思います。ワクチンができたり、集団免疫ができたりして。そうすると、「たちの悪いインフルエンザみたいなコロナがまた来やがったぜ」というくらいの認識になるとは思うのだけど、その時はきっと、また別の何かが来るんじゃないかと思います。

いとう　そうですね。荷物にくっついているものがどこでも運ばれちゃうという時代になって、ドイツのメルケル首相*が、移動の自由は民主主義にとって非常に大事なのだけど、今回だけは移動の自由を制限させてほしいといった演説をしていたけど、「移動」って、確かに民主主義にも関わるし、パンデミックにも関わる、諸刃の剣だということがわかってきたんじゃないかと思います。

新井　今後は、コロナに限らず、すべての病気とある程度共存する社会になる。つまり、封じ込めは絶対に無理だと思います。今までも人間は細菌やウイルスと共存してきたのだから、今は病気になったら病院に行って、医療機関にかかれば治る！　とみなさん思っていたじゃないですか。だけど今後は、病気になったら、運が悪いと治らないこともあるかもしれないから、できるだけ基礎体力を養って健康に過ごすようにがんばりましょうね、という世界になるのではないかなと。今回、ひとつだけ主張したいことがあります。「病気になるのは運が悪かったからだ」と思っていただきたい。昔のSFで、パンデミックになった後に生き残った人たちが、僕のせいで何百万人が死んだと言ったりするけど、それはやめなさい。それは、**あなたのせいじゃないです**。罹患した人がテレビで謝るのは違いますよね。運でしかないからね。

いとう

＊　ドイツ・メルケル首相のテレビ演説（二〇二〇年三月十八日）
かつて自由を制限された旧東ドイツ出身のメルケル首相は「渡航や移動の自由が苦難の末、勝ち取られた権利である」ことを強調したうえで、一時的な移動自粛を呼びかけた。

新井　変ですよ。どんなに注意していても、運が悪ければ感染するんです。医療関係者の方は感染に注意していないわけがないのだから。どんなに注意していても感染する時はするし、どんな放埒な生活をしていても、周囲に感染者が一人もいなければ感染しない。運ですよね。

いとう　新井さんがいい感じに燃えてきていますね、これを維持したいですね（笑）。藤井さん、お願いします。

藤井　私がコロナウイルスの流行・拡大を知ったのは、ちょうど中国の友人とフランスのリヨンにいた時でした。ちょうど二〇二〇年一月の最終週ぐらいだったんです。中国政府が情報を公開する方向に舵を切った瞬間で。その時に初めて思ったのは、私たちの科学技術は、風邪が生まれる瞬間を目撃できるほどに進んだのだなと。発見のタイムラインを見ると、二〇一九年十二月末に見つかった患者の体液を採取して、三日後にはウイルスの全ゲノムのシークエンスを解析しちゃってるんですよね（実は、三日後にわかったのは新型コロナウイルスだというところまでで、ゲノムシーケンスが確定したのはさらに一週間後のことでした。でも、この速度も十分驚異的です）。このスピードで出るのかと驚きました。COVID-19 の「19」は二〇一九年のことなんですよね。つまり、昨年のうちにウイルスは同定できてしまっている。このスピード感に驚きました。

いとう　しかも、それがヴィジュアライズされて、はっきり見える形になっているわけじゃないですか。

藤井　ＳＡＲＳの親戚だというのははっきりしていたので、あの段階ではＳＡＲＳの絵をそのまま使ったようですね。二、三週間も経つとメディアに出る絵も、スパイクの数がぐっと増えて、実際の新型コロナウイルスを表す形にアップデートされたのですが、このスピードも速かった。イラストレーションを描く人たちのところまできちんとした情報が伝わったということです。

いとう　移動の距離もだけど、スピードも、それを追っかけていくスピードも速かったということですよね。

藤井　そうですね。それから先、韓国やシンガポールで行われた感染者の追跡のディティールの細やかさにも驚きました。ウイルスの株が変異している話も早かったですね。一年後に振り返ったようにレポートを読んでいるのではない。ここで変異した、とか、このクラスタからこのクラスタに感染した瞬間からゲノムの変異がある、とか、そういったことがわかっている。リアルタイムで出てくる。こんな時代になっていたのだなと。その一方で、ワクチンと治療法、特効薬は、まったく間に合わない。

いとう　そこなんですよね。増えているけど、どう抑えるかはわからない。

藤井　そういう意味で、風邪が生まれる瞬間と広まっていく過程を、一人単位で追跡できるだけの技術を人類社会は手に入れていながら、抑える方法が基本的にない。結局、感染してしまった人の体力や状況、曝露したウイルスの量に依存してしまう。新井さんがおっしゃったように、たまたま、なんですよね。いろんな偶然が重なっている。もし、五十年前に同じウイルスが生まれても、このようなスピードでパンデミックが拡がったわけもないですし、逆に五十年後、この手の病気にはこうしておけばいい、みたいな治療法が確立していたあとであれば、こんなに恐れる必要もなかったかもしれない。このタイミングでSARS-CoV-2が生まれて、人に感染できるようになったという、偶然がパンデミックを生んだんですね。

いとう　ウイルスが狙いすましたような印象があるというか。

藤井　そこなんですよ。狙いすましたように見えます。でも、今回のウイルスのゲノムは、だいたい30キロベースといわれていまして、3万塩基対ですね。コードが三万文字ぶん。三文字でひとつのアミノ酸をつくりますので、区切るための文字がもう一つある。8500ぐらいのアミノ酸でできている。それぐらいの文字数ならコンピュータの助けを借りなくても「読める」んですよ。もちろんコンピュータを使わない理由はありませんけどね。とにかくたったこれだけの設計図でこの程度のゲノムで作られている。細胞に刺さるスパイクの形だったり、エンベロープの質だったり、自分自身をコピーさせるための仕掛やなんかが書いてあるわけです。謎なんかどこにもない。実に無機質なものですよ。もちろん、意志とか悪意みたいなものも書かれていない。それなのに、**コロナウイルスは社会の中で一番弱いところをぐりぐりと突いてくる**。

いとう　作家としてはたまらないところじゃないですか。

藤　井　いやいや、そんな。面白がっている場合ではないですよね。

いとう　なんでそんな状態なの、という。悪質じゃない、単純ないい人そうな人が近づいてきたら、いきなりみぞおちを殴ってくるような感じ。

藤　井　衝撃は衝撃なんですね。これだけの感染力があって、無症状の人がどんどん感染を拡大させてしまうという特性で、衝撃を与えられた時、私たちの社会はいとも簡単に一番弱いところをさらけ出してしまった。シンガポールでは一度、感染を抑え込んだかのように見えましたけど、第二波が生まれています。それはどこからなのかというと、外国人家政婦なんですよ。シンガポールでもっとも顧みられていない、ベトナムとかフィリピンから来ている人たちの中でクラスタを作ってしまった。シンガポールの社会は、国民市民と外国人労働者の社会が分かれています。フィリピンから来た家政婦の方だけが行くようなショッピングモールがあります。

いとう　週に一度、その人たちだけで集まって食べたりしますよね。ウイルスにとってはものすごく好都合になってしまう。

藤井　後から考えるとそうですが、結局、社会の中で一番弱い部分が狙われる。アメリカではどうか。貧困や、健康保険がないという医療の弱さ。ＥＵの各国では、グローバリズムや新自由主義の影響を受けて、社会インフラを減らしている国で徹底的に感染が広まっています。そして日本は、コンピュータです。本当に使ってないなと。一九九五年ぐらいから何も変わっていないんじゃないかというくらい使われていない。これは本当にマズイと思いました。**日本で最高の英知を集めた対策チーム**が、手書きのファックスをEXCELに入れて、**なぜ電卓で計算しているのか**。それからホワイトボードに数式を書く。悪いわけじゃありませんよ、ホワイトボードで式を検討するのは数学者の身体感覚みたいなものなので、小説家が原稿用紙を使うのと同じです。そこは特に何も言うつもりはないです。でも、マセマティカはないのかと。世界中どこに行っても使われる数学エディターです。何にでも使う、当たり前すぎるソフトウェアなので何のために使うのかひとことで言えないようなソフトですが、これが見えなかった。ちらっと映像で見た韓国の対策チームでは全員が立ち上げていました。リアルタイムで何十万と集まってくるデータを片っ端からぶち込んで、現代数学を使った統計をおこなってます。もちろん分析のあとで具体的な手を打つのは政治や、行政の問題になりますけど、この一連の流れの中にコンピュータを使える人が普通にいるわけです。日本はやばいですね。ただ、幸いだったのは、今回のウイルスは二十世紀の医療でも立ち向かうことができるものだったということですね。二十世紀最高の資本を投下した日本の医療は、アジアで最悪とはいえ、死者を欧米のレベルまで拡げることなく食い止めることができたのではないかと。

いとう　藤井さんがおっしゃったことで思いだしました。この前、都議会で、ライブハウスやクラブの人たちがすごく困っているので、どういうふうに彼らを救ってもらうかというという話をしたときに彼らが言ってたのは、自分たちより上の世代の政治家、五十～七十代の人たちは、クラブといわれて昔のナイトクラブのイメージしかないんだと。だから法律を変えるという頭がないといわれてガックリきたんです。それと近いものがありますね。

藤井　九〇年代ぐらいからいろんなものが変わっていないので、その部分が浮き彫りになっている気がしますね。実質が見えていない世代が支配層になってしまったという。

冲方　最高の医療があるから、そういう人たちがまだ生きているんですけどね。

藤　井　あの時は最高だった、です。シンガポールや、ＳＡＲＳやＭＥＲＳの洗礼を受けた国だと、そこそこの病院にＰＣＲの検査機があって、治療の方針をどうするかは国によってまったく違う話で、増やせという話ではないのですが。装置があり、データが自動的に施設に送られる。そもそも、「集計している」と聞いた瞬間に絶句しますね。

パンデミックと小説

いとう　大森さん、テッド・チャンの『息吹』（早川書房）が素晴らしかったです。あの作品を読むと、三回ぐらいインフルエンザっていう言葉が出てくるんですよね。新井さんが先ほど、何かあればパンデミックになるのは当たり前じゃないかと思っていたとおっしゃっていましたが、テッド・チャンはどうしてああいうところにインフルエンザという言葉を使ったのだと思いますか。

大　森　コロナ禍のはるか前に書かれた作品ですが、『息吹』に収録されている三つの短篇で、新型インフルエンザの世界的流行による社会の変化が物語の背景になっています。いずれかならず起こることだと思っていたわけですね。コニー・ウィリスの『ドゥームズデイ・ブック』でも、近未来パートでは、新型インフルエンザが猛威をふるい、オックスフォードの街がロックダウンして、店頭からトイレットペーパーが消えたりしています（笑）。劉慈欣（リウ・ツーシン）の『三体』*の第二部でも、局地的に奇妙なインフルエンザが流行するエピソードがあります。かつての近未来SFで核戦争の危機が当然の前提だったように、いまの近未来SFではインフルエンザの危機が前提なのかもしれません。

いとう　小川さん、パンデミックものというか、SFで、ご自分で共感していたり好きな作品はありますか。

小川　今回、おすすめしてくださいと頼まれて、読み返して何があるか考えたんですけど、人類の過去の歴史を振り返ると、人が大勢死んでいるのは病気の感染なんです。ペストやコレラの流行は、戦争よりもさらに多くの人が死んでいる。過去の歴史をインパクトだけじゃなくてドライにみると、ウイルスが大きな影響を与えているという見方があるのかなと。今、話を聞いていて思いました。小松左京の『復活の日』や、小川一水さんの『天冥（てんめい）の標（しるべ）』がありますが、パンデミックをメインに扱った小説って、実

---

*　『三体』（三体, 2006）
劉慈欣著／大森望・他訳／早川書房。中国のみならず世界で社会現象となったアジア最大級のSF小説。アジア人作家として初めてSF最大の賞ヒューゴー賞を受賞。三部作第二部は『三体Ⅱ　黒暗森林』。

は他のＳＦ小説に較べて数がないのではないかと思いました。何故かと考えた時に、**パンデミックものは最近ではゾンビもの**になっているんですよね。映画やゲームもそうですが。今、パンデミックものを挙げろと言われても、ゾンビものがいちばんよく書かれているのかなという気がします。

いとう　みんながスーパーマーケットの中で自分たちをロックダウンするとか。

小　川　ある意味では近い状況が起きていますね。ただ、コロナウイルスとゾンビものは大きく違っている部分がある。率直に思ったんですが、作家が描くパンデミックは致死率が高くて強力なものにしがちなんです。コロナウイルスのように潜伏期間が長くて感染力が高くて、「健康」を破壊していくというよりも「日常」をどんどん破壊していくようなウイルスのデザインって、これまでのフィクションではあまりなかったのかなという気がしました。

いとう　冲方さんはどうですか、

冲　方　今回のパンデミックでいちばん衝撃を受けたというか、ずるいなと思ったのは、コロナのような設定を考えたら、編集者からはリアリティがないと言われたんじゃないかなと。ウイルスがチート過ぎる。安全に拡がっていますよね。ある程度拡がったところで致死率を高めていく。第一波、第二波、第三波と変異していく。フィクションでは考えやすいですが、さすがにこれだと**ウイルスが人間を理解しすぎ**じゃないかと。人類のこういうところが弱いから、こういうところにウイルスを流し込むと弱いだろうなと作家は考えますけど、今回のコロナのすごさは、人間のことを理解していると ころですね。

大森　現代社会に最適化されているようにみえる。十九世紀までだったら、人間相手でもこんな急速に広がらなかっただろうし、もっと昔なら、人口の0・5パーセントぐらい死んでもなんともないという国もいっぱいあったでしょうけど。

冲方　さきほど新井先生がおっしゃった、多くの人間が移動するようになったこと。大昔と今で違うのは、ほとんどの人間が迷子にならないことですね。昔は位置情報がないので、大航海時代では半分ぐらいは移動中に死んでました。それでも大航海時代は疫病を世界に拡げましたよね。今は人間が正確に移動するので、正確にクラスタさえ作ればどこへでもうつせる。ウイルスが学習したとしか思えないような感染の仕方をしています。人間社会のみならず、テクノロジーもうまく活用して拡がっていく。

いとう　飛行機に乗って遠くまで行く。

冲方　こういったウイルスよりすごいウイルスを、フィクションで考えるのは大変ですよ（笑）。

いとう　勘弁してほしいと（笑）。新井さんはどうですか。

新井　致死率が高いウイルスの方が、小説的な意味での後始末はすごく簡単なんですよね。滅亡させればいいいんだから。

いとう　すごいなあ。

新井　ただ、現実問題として、そこまで致死率の高いウイルスは自然界にはめったにないじゃないですか。基本的にウイルスは人を滅ぼしたいわけじゃない、自分が繁殖したいわけだから。共存すれば細菌もウイルスもだいたい弱毒化していく。でなければウイルスが困るという。あまりに強力に人間を殺すウイルスは増えずにそのまま終わってしまうから、自然界ではそもそもそんなにない。将来的には「私たちは弱いんですよ、3パーセントしか殺さないんで」というタイプが出てくるんじゃないかと。

大森　SFの文脈だと、今起きている新型コロナウイルス禍というのは、パンデミックSFというよりは侵略SFみたいですね。人間そっくりに化けられる宇宙人が静かに日常生活に入ってきて、徐々に勢力を拡げていく。だれが侵略者かわからないまま不安が蔓延する……みたいなタイプです。従来のパンデミックSFとは全然雰囲気が違うという実感です。

藤井　ファーストコンタクト、パニックものに近い気がしますね。ファーストコンタクトがあって、どうすればいいかと各国が右往左往する。そっちに近い。

いとう　冲方さんも最初におっしゃったように、全人類的な問題というのは、宇宙人が来た時と同じですよね。

大　森　侵略もののSFである『三体』第二作を翻訳している最中に新型コロナが見つかったので、物語の内容とウイルスの状況がシンクロしてすごく不思議でした。フィクションと現実がごっちゃになるというのはこういうことかと。

いとう　テッド・チャンは、今回のパンデミックに対して、フィクションではこんな無能な政治家は描かれないと面白いことを言っていました。

大　森　なぜかというと、フィクションに無能な政治家や官僚を出した場合、たとえパンデミックが拡がっても、それは彼らの無能のせいであって、ウイルスが恐ろしいせいではない、まともな人が対応していればすぐに制圧できただろうと、読者や観客が思ってしまうからだと。つまり、話の焦点がぼやけるんですね。ところが現実では、無能なリーダーに振り回されて、どんどん焦点がぼやけてしまう。フィクションでは許されないことが、いままさにどんどん起きているわけです。

いとう　さて、本題に入りますが、アフターコロナの世界をSF作家はどう想像するのかということで、「アフターコロナの●●」というテーマで、視点を絞っていただきました。

■「アフターコロナの第三次世界大戦」冲方丁

いとう　まずは冲方さん。話の流れでもありましたけど、全人類がひとつのものに立ち向かっているという状態のことですか。

冲方　いいえ、ウイルスによってみんなが課題を持ち、ゴールもわかっている。最終的にはウイルスと共存する、あるいはワクチンが開発される、全員が過去と同程度の経済レベルにもどる。そのゴールはわかっているのだけど、利害関係が錯綜する。世界金融恐慌の時と同じで、どうすれば自分たちが幸せになるかという目的はわかるのだけど、**手段が食い違うことでたやすく奪い合いが生じる**、ということがあります。もうひとつは、**物理的に移動を制限すると情報が遮断されて**、相手のことを考えない世界になっていくこと。しかも今回は、民間レベルで、救助のために近づいてきた人すら恐れるような状態になっている。またこれで情報量が減るんですよね。戦争が起こるトリガーのひとつとして、「考えることが減る」ということがある。相手のことを考えな

い、状況を考えない、その後のことを考えない。**情報量が減れば減るほど、たやすくコントロールできるはずだという錯覚に陥る**。その錯覚が最終的に**戦争のトリガー**になると思っています。

こういう状況が各地で起こると、あっという間に紛争状態になる。しかもフラストレーションが溜まった状態ですから、戦争状態を肯定しやすいというより、否定する材料そのものがなくなっていく。これが従来の物理的に社会が遮断された時に起こることです。暴動や戦争、リンチ、強奪行為といったものが普通だったんですけど、ただし今はＩＴがある。ＩＴが成し遂げたことのひとつに、「**共感されると儲かる**」ということがあります。全然違う環境にいる個人がいて、その大多数に対して自分の発言や自分のやったことが共感を得た瞬間、お金になる。

戦争抑止に対してはものすごく効果を発揮するブレーキがあらかじめあったわけです。このバランスで、新しい世界が生まれた時にそれが荒れたものになるか、みんながそれぞれ平和な場所になるか、分かれ目がある。今のところはどちらかというと紛争の方に傾いているんじゃないか……というのは個人的な実感ですけど。

いとう　現在のアメリカもそうですし、ちょっと荒れ始めているところも見受けられたりしますね。

冲　方　ある意味、強い国を滅ぼすチャンスなので、台頭している中国とか、イケイケどんどんなアメリカをこの隙に叩けるチャンスではあるんです。だから中国は軍事的な展開をコソコソとやっているじゃないですか。

大　森　藤井さんは覇権争いが起きるんじゃないか、と。

藤　井　パワーバランスは間違いなく変わりますよね。冲方さんの指摘された内容は全くその通りで、情報が遮断されて行き来がなくなって、交流がなくなったら何が起こるか。いちばん心配しないといけないのは戦争ですね。有名な言葉で、「商人が帰ったら、次に行くのは兵士だ」という言葉があるぐらいです。交流がなくなったら次にどういうコミュニケーションがあるか。争いしか残らないんですよね。

いとう　今日でも、（感染者が）富山県に入ってきたというので、相手を攻撃したり。県レベルで始まっていますね。どちらも同じ日本人じゃないかという認識は一瞬失われている。小川さんは情報の問題についてどう思いますか。

小川　ウイルスが拡がるのは誰かのせいにできないじゃないですか。ウイルス本体が責任の主体じゃない。何か大きな被害があった時、われわれ人間は誰かが悪者になって、その人が責任をとってくれないと納得しないという習性がある。だからこそ、アメリカは中国に責任を取らせるような方向に舵をとったりしている。みんなが不安なのは、これだけ自分が大変な思いをしているのに、誰を責めていいかわからないからです。他県から来た人を攻撃したりとか、ウイルスを持っているかわからない状態で外出したりしている人を見つけて責任を取らせようとするという自粛警察は、自分が自粛している怒りのぶつけ先がないからです。東日本大震災が起きて、原発事故が起きた時は東京電力を批判すればよかったけど、今回はそういった責任の主体が各自わからないままで、何か目についたものがあると攻撃しているのかなと。それがアメリカで起こっている暴動とかにもつながっているのではないかと思います。

いとう　新井さんはどうですか。

新井　みなさんのおっしゃっていることは本当にその通りだと思います。だけど、**そんなことをしている場合じゃないな**とも思います。最初に言ったように、ウイルスにかかったら運が悪かった。感染症は天災の一種だと思った方がいいです。日本人はこれだけ台風に慣れているのだから、台風が来た時に人を責めてもしょうがない。その前にまず雨漏りを止めて、冠水している道路を何とかしてとか、やることがありますよね。疫病は天災だから、人を責めているヒマがあったらほかにやることがあるでしょうと、心から主張したいです。

冲方　台風みたいにウイルスに名前を付けたらいいいんじゃないですか。

新井　コロナ何号とか。

藤井　これから問題になってくるのは、**今までなら問題にならなかったような疫病に対しても、もう無視できなくなった**ということですね。通常よりも発疹が激しく出る手足口病とか、ロタウイルスの変異株の中で、一割だけよけいに人を殺しやすくなっているものとか、見つけて分類できちゃうんですよ。見えるし、分類できる。それに名前を付けることもできる。グーグルとアップルが、コンタクティーの、感染者のＡＰＩを出しましたよね。感染したかもしれない人と、接触しましたよという人の。ああいうＡＰＩが活用されてくると、疾病によってどれぐらいの隔離をしないといけないかということも見えてくる。県レベルや自治体レベル、たとえば地方の政令指定都市の区で、緊急事態に入りましたので三日間だけ外出を自粛してくださいというようなことがポツポツ出てくるようになるんじゃないかな。

いとう　スモッグの時もそうですね。最初はただの公害と言っていたのに、光化学スモッグになって、出ちゃいけないという放送があって。自治体ごとにそれが違うというふうになっていった。

藤　井　今回のコロナウイルスが開けたパンドラの箱はけっこう大きいんじゃないかと思いますね。ちょっとした病気を無視できなくなる、という。

いとう　そういったことに、われわれがいかに寛容になれるかということが問われていく。

■「アフターコロナのトロッコ問題」小川哲

いとう　続きまして、小川さん。

小　川　最初に話をしたことにも近いんですけど、トロッコ問題*ってありますよね。トロッコ

＊　トロッコ問題
「五人を救うために一人を死なせることは許されるか?」というかたちで功利主義か義務論かを問う、倫理学上の有名な思考実験。

に乗っていて、このまままっすぐに行くと五人の人を轢いてしまうのだけど、コースのスイッチを変えると一人の作業員を轢いてしまう、その時どっちが正しいのかを考える問題ですね。今回やこれから先、感染症が起こったときの現象にすごく雑にあてはめると、限られた数の感染者の命と、それ以外の大多数の人の雇用や仕事、娯楽。先ほどいとうさんがおっしゃっていた、音楽関係や映画館だったり飲食関係の人たちは仕事がまったくなくなっている。コロナウイルスに感染して健康的な被害を受けた人よりもはるかに多くの人が、経済的な損失や娯楽の損失を受けているわけですよ。例えば**一〇〇人の感染者の命と、一〇〇万人の雇用や娯楽、生活**を満足に生きることのどちらを優先すべきかという問い。それが新しいトロッコ問題として

浮かび上がってきたのかなという。限られた一〇〇人の命を犠牲にして大多数の人が日常を送ることを優先するのか、日常を犠牲にすることで、みんなの命を守ろうとするのか。もちろん、どちらが正しいということではないですけど、今後、人々が政治について考えたり、会社の経営者の人がどう会社の方針を決めるか考えた時、避けては通れない問題なのかなと考えました。

いとう　さきほど藤井さんがおっしゃった、いろんなものが可視化されて気になってくるということですね。今回の新型コロナのトロッコ問題をひとつ解いても、次は別の問題を解かなければならなくなる。程度差が違うものが現れた時はどういうふうにしていくのかという。

藤　井　希望も少し現れていまして。相当に難航すると思われていた給付金が出ました。あのケチな財務省がやっと財布のひもを緩めてくれたわけです。日本だけじゃなくて、世界各国でプライマリーバランスがもっと悪化していて、ＥＵとの借金問題を持っているような国でも、何らかの形で休業した人や家にこもった人への補償をやっている国が多くある。お金が出せるとみんな気づいたんですよ。

いとう　お金を出さないと税金が取れないと。

藤　井　ベーシックインカムができないといっていた人たちが、ベーシックインカムを受け取っているんですよね。この熾火はしっかり保っていかないといけない気がします。三日間の休業をお願いしますといったら、計算してポンと払うというようなことがスピーディに行えるようになれば、失われるものが少ないのではないかと。今回私たちは、お金が政府から出てくることに気づいたわけです、そのことを忘れてはいけません。

いとう　そのためにも、なるべくコンピュータをちゃんとわかっていただくようにしないと。冲方さんはどうですか。

冲　方　日本の文化に限定していえば、確実に病んだ人たちを犠牲にしてきたんですよね。陰陽道の発想で、ハレ・ケガレの発想ですけど、病んだ人は隔離・排除する、それに近づいた人間も一定期間慎む、閉じこもる。今やっていることって**平安時代にやっていたこととまったく一緒**なんですよね。平安時代の政府が言いそうなことを言っているんですよ、今。みんなで慎みましょう、とか。

いとう　何か悪いものがあらわれていると。

冲　方　ケガレが拡がっているから、なるべく人と会わないようにしようとか。紫式部の日記を読んでいるようなものですよ。

いとう　むしろ古典に返って読むと、ヒントがあるかもしれないですよね。

冲　方　そうやってケガレだと言われた人たちはその後どうなったのかというと、慎みには必ず期間が定められていて、一定期間が経つと無罪放免になって、娑婆に出ることが許されるわけです。

いとう　社会にね。

冲方　徹底的に貧者や病人を排除していくと社会が成り立たなくなることは、日本人はもうわかっている。今の平安時代の知恵の最後の部分が出てきていないですよね。**どうしたら許されるのか**、どうしたらもう一度相手を受け入れるのか。日本人が理路整然と語るとどうしてもみんな窮屈になって、何を言っていいかわからなくなっていくので、フィーリングで、だいたいこれぐらいでいいじゃないか、という。もうそろそろカラオケに行ってもいいんじゃないか、とか。花見も、半年我慢したからもういいだろう、とか。結局、日本人はその繰り返しですよね。

いとう　先ほどの寛容の問題も、それをわかっていると……。

冲方　**不寛容を避けることができる**、せめてもの知恵ですね。

いとう　大森さんはどうですか。

大森　いまの日本の傾向として、ゼロリスクに流れがちなところがあって、感染者が増えることが絶対悪みたいになっている。だから感染者がバッシングされたり、東京から地方に行くと、東京ナンバーというだけで車のガラスを割られたりする。それを防ぐには、どこかで線を引いて一定のリスクを許容することだと思います。小川さんのトロッコ問題で言えば、感染も経済もどっちも助けるとばっかり言うんじゃなくて、「ここで線を引きますがどうですか」と政治が言うべきじゃないかと。

小川　それが難しいと思うんです。どうしても命の価値は無限なので、どこかで線を引くと、亡くなる人の命はいいのかという議論が生まれてしまう。大森さんがおっしゃる通り、必ずそうするべきだし、そこにラインはあるんですけど。政治家の人はどちらの選択もしていないというふうにごまかすというか、はっきりとラインを引いてしまうと責任が生じて必ず文句を言われてしまうので、誰かが犠牲になるのが目に見える。どちらにも気を遣うというか、「非常事態の解除はするけど、東京アラートは鳴らします」みたいな、そういうどっちにも気を配っているというサインを出す。それは政治家としては正解とは思いますが、世界を本当によくしていくためにはどうなのかという気はします。

大森　ブレーキは踏みましたけど、アクセルも緩めていないから安心してください、みたいな話ですよね。でも、どのみちどれが正解かはまだわからないわけだから、スウェーデンのように、あんまりブレーキは踏みませんという国もある。いろんな国がいろんな対策をした結果、最終的にどこが正しかったのかは一年ぐらいでわかるでしょう。

だけど、「うちの国はこういう方針です」というのがはっきりしていないところだと、過剰な恐れが起きるのではないかと。

いとう　スウェーデンは今実際にどうなのか。スウェーデンにいる日本の人に話を聞いてびっくりしたことがありました。毎日のように首相をはじめ各省の人たちが、質問が終わるまで徹底的に情報開示しているんです。わりとみんなが自由にしていても、彼らを信じているから何とかなっている。寛容になるかならないかは情報が大事なんですね。最初に冲方さんが言ったような話で、本当にあるんだなと。きちんと説明さえされれば寛容さというものが生まれる可能性はあるんじゃないかと僕は思うんですけど。

藤井　スウェーデンは毎日同じ時間に記者会見をやってるんですよね。必ず午後三時からスタートして、それが九時ぐらいまで続くこともあるという。えらいなと思います。

いとう　台湾もやっているらしいですね。

藤井　決まった時間に情報を取りに行けるのは素晴らしいです。

いとう　素晴らしいですよね、安心しますよね。新井さんはどうですか。

新井　物忌みと冲方さんがおっしゃっていたのは、本当にそうなんだろうなと思います。いつ物忌みをあけていいのかを誰も言ってこないのだけど、日本人は喉元を過ぎると熱さを忘れる特性があるので、だんだんズブズブでなんとなくなってしまう気もします。

いとう　それがいいか悪いかはさておき。
冲方　平安のころのズブズブが令和でもズブズブだろうという。ここはちょっと誤解していただきたくないんですけど、平安時代はありとあらゆることを記録に残しています。
一同　（笑）。
冲方　彼らは**当時の最先端の技術を駆使して、情報を公開**しながらやむを得ずこうしていたわけです。それ以外の手段がなかった。

■「アフターコロナのセックス」藤井太洋

いとう　次は、藤井さん、いい時間になってまいりましたよ。
藤井　これは具体的にセックスをするという話とはちょっと違いまして。実は私、パンデミックが終わった後の短篇を二本書いているんですけど、そのうち一つで扱っている内容が、遺伝子治療*なんです。ワクチンの開発。これからもし、小さな病気のパンデミックがいくつも繰り返されていくと、パターン的に、コロナウイルス系に関してはこ

の遺伝子治療をやっておけばワクチンがなくても重症化しないというような、そういうものが見えてくる可能性があるわけですよね。ウイルスの設計は基本的に同じなわけですから。あのスパイクが刺さらないようにしてしまえ、みたいな。そういうことが起こった時に何が起こるか。人間の種が分かれていくんです。遺伝子治療をした結果、もしそれが生殖細胞にも影響がおよぶ病気であった場合、人間という種が少しずつ、子供を持てない相手が今までとは違うレベルで生物的に離れてしまって種が分かれていく可能性もあるんじゃないかなという気がしま

＊　遺伝子治療
患者の細胞に遺伝子を導入し治療を行う。現在は末期がんの患者の治療などに行われている。

す。ただし、これは日本人に関してはすでに起こっている話ですね。ＨＰＶウイルスは子宮頸がんの半分ぐらいの原因になっているウイルスですけど、これは多くの国でワクチンの集団接種が進められていて、男性にも接種が勧められています。ところが、これが日本では全然接種されていない。ワクチン接種がはじまった頃にあった有害事象——言い方が難しいですね。副作用ではないし、副反応だったのかどうかも……被害にあった方が苦しんでいるのは事実ですが、とにかくワクチンによる被害のニュースが出て、有償化して、打つ人が少なくなった。今、日本人の若い人のほとんどが子宮頸がんのワクチンを打っていないんです。これはまだ情報が広まっていないのであまり問題にはなっていないんですけど、おそらく将来的には、日本人はあの病気を持っている、というふうに認識されてしまうのではないか。そうしたとき、女性も男性も国外にいって国外のパートナーと子供を作ることが困難になってしまうのではないかと思います。種が分かれていることとほぼ変わらなくなりますよ。子孫を残せないということがすでに少しだけ始まっている。これは二〜三世代繰り返すと明らかになると思います。

いとう　ウイルスやワクチンとセックスは大きく関係すると。

藤　井　交渉・交流に非常に大きな妨げとなるような気がしています。ワクチンについても、どのように接種されはじめるのか、どの国から始まるのか、どの国では無償なのかという。始まり方によっては、その後の交流に影響があるでしょうね。

いとう　そうか、そういうことか。

大森　遺伝子治療でいうと、子供が生まれる時に、これからのウイルスに備えて完全防護できるような遺伝子操作を施しておこうというふうになる可能性もある。

藤井　その可能性がありますね。完全ウイルス防護が難しいとしても、ある抗体をもらったらすぐに免疫反応が生まれるような改変を子供の方に先に施すとか。

大森　そうすると、学校でウイルス防護をしている子のクラスとそうでない子のクラスが分かれるようになって、やがては収入でも格差が生じるだろうし、いろんな格差につながっていく可能性もあります。さらに進むと、超健康な新人類と、病気にかかりやすい旧人類というようなことになる。だんだん旧人類の数が減っていって、千年後にはこの国が……という話はSFではよく書かれますね。

藤井　SFでは書かれますよね。実際には、**貧富の差**の方がずっと**病気にかかりやすいかどうか**に関係があります。本当はそっちの問題の方が大きい。

いとう　小川さんはどうですか。種の問題について。

小川　そこからいろんなSF小説が書けそうですね。それこそ、抗体を持った集団が自分たちに効かないウイルスを人工的に作って流行させてテロを起こしたりとか。もちろん、遺伝子治療は技術的な壁よりもずっと、政治的な壁の方が高いと思うので、実際に僕たちの社会が十年二十年でそういう社会になるかというのは、また別の問題なんですけど。技術的にはそういうことも可能になってくるのかなと思います。ただ、SFと実際の社会を考えるときにポイントになるのは、それが技術的に可能になることと社会が実装することはまた別の次元なんですよね。それこそ、日本の役人がまだ手書きでやっている、ファックスでやっているというのと、SF的に可能な技術的達成とは、まったく違う次元で人々は動いたりする。僕はそのギャップが面白そうだなというか、遺伝子改変について、人類はどのように議論していくのかとかというところも興味深いですね。

藤井　SFの果たす役割は、それが可能になる道筋を提案して、見せてあげることだと思うんです。この放送があった後ぐらいに出る〈WIRED〉に、ひとつ小説（「滝を流れゆく」）を書いています。その中では、コロナウイルスが脊髄に感染して、脊髄の移植を受けなければならなかったカップルが遺伝子治療を受けたという設定にしています。免疫系に大きなダメージを受けてしまったので、脊髄移植と遺伝子治療の両方を受けなければならなかった、というような。遺伝子治療が成り立ってしまったストーリー。

非常に納得できる話なので、ぜひ読んでください。

いとう　医学は確実に変わってきていますし、不妊治療もちょっと取材してみると、実はもうとんでもないところまで行っている。

藤井　すでに二割ぐらいの人たちが体外受精で子供をもうけていますし、そういう数字を見ていくだけでもかなり驚くことがあります。先ほどの種が変わる話でいうと、現実に起こり始めているのでは、医者が少ない環境で帝王切開がものすごく増えるということ。産婦人科医にいつでもかかれる場所でないところだと、産婦人科医がいる日に出産しないといけない。なので今、医療リソースが大量に投入されている国では無痛分娩の予定出産がその答えなんですけど、そうでない国では、帝王切開になる。中国では帝王切開が多くて、日本でも産婦人科医が少ない地方では帝王切開がどんどん増えている。これには弊害があって、頭が大きい胎児が増えてくる。悪いことではないんですけど、産道を通った時に命を落としていた可能性がある赤ん坊が、帝王切開で安全に生まれることができるので、頭の大きくなってしまう子供たち同士の子孫というのは、自然分娩をすることはおそらくできなくなるだろうという可能性がある。これもまた人間の種というのを少しずつ分けていくものですね。私たちは遺伝子治療をしなくても、自分たちのゲノムを改変しているんです。洋服を着ることとか、髪の毛を切ることで清潔さを手に入れていますよね。

いとう　でも、首筋から風邪を引いちゃうかもしれない。

藤井　ただ、背中に繁殖していたはずの雑菌がいないとか、ヒトジラミが減ったので媒介されていた病気とは無縁になったと思います。その過程でゲノムもきっと変化している。

いとう　われわれというものが個体としてはっきりしているものではなくて、今回のウイルスもそうだけど、遺伝子の中にも入ったり出たりしているわけじゃないですか。そういったことでいえば、他のことでそれが起こってもおかしなことじゃないということですよね。

藤井　そうですね。今回の新型コロナウイルス禍で大きく変わったのは、ワクチンを作るためにものすごく多くのお金が投入されたことですね。このおかげで遺伝子治療にかぎらないワクチンの精製技術や、ゲノムを素早く読み取る技術が進化すると思います。

いとう　新井さんにお聞きします。種の問題はどうですか。

新井　考えたこともなかったので面白いですね。例えば、地理的に隔絶しているところ、昔ならオーストラリアだったら、有袋類とか、周りと全然接触しないから独自の進化をとげたってあるじゃないですか。同じことが人種間でも起こると考えたら、確かにその通りだなと。

「アフターコロナは……ない」 新井素子

いとう　では最後に、新井さん。

新　井　ないわけじゃないんです。今のコロナが終わったら、アフターコロナですからね。国際間の緊張や情報の遮断、生殖の問題や種としての人類の問題、いろんな問題が掘り起こされたのだけど、四～五年経ってなんとなくコロナが落ち着いた時に、人間は喉元を過ぎれば熱さを忘れると思うんです。なんとなくズブズブで今の状態に戻ってしまう。もちろん、今回のことで変わることもあると思います。これだけリモートワークをやった結果、リモートでもある程度社会がまわると日本人が気づいたと思うんです。必ず定時に同じ電車で会社に行かなくてもいいんじゃないかと、日本人の半分ぐらいが気が付いてくれると、満員電車をやめないかという話になるんじゃないかと期待しています。人間の乗るものじゃないですよ。あまりにも非人間的じゃないですか。

いとう　あれこそトロッコ問題ですよ。

新　井　そういう意味で、いろいろと変わっていくことはあるだろうし、これを機に変わって

ほしいこと、進んでほしいことがいっぱいあります。情報開示問題とか、このあと政府はいったいどうするのかという問題とか。ソーシャルディスタンスというので、うちの近所の公園でも、ベンチがあると真ん中に大きな「×」がついていて、二メートルあけましょう、隣に座らないでねというふうになっています。映画館やお芝居でも、席を一人おきにしています――本当にソーシャルディスタンスをとろうと思ったら三つおきぐらいにしないといけないと思いますけど――が。数年経って、コロナのワクチンもできて、ワクチンも打ったとなると、やっぱり映画は彼氏と隣り合ってみたいとか、何かあった時に腕にすがりつきたい、といった思いが絶対に出てくると思うんですよ。そしてみんながソーシャルディスタンスを忘れた頃に、変異

した第三のコロナが出てくる……。そのワクチンができて何年かして、ご飯は向かい合って食べたいと思ったときには第四のコロナが出てきて……。

いとう　そもそも、人類の歴史はそうだったという。

新井　何かあるごとに、ちょっとでもいいから改善点を見つけて、少しでもいいことが一つあればめっけものだという感じで、ズブズブ進んでいくのかなと思っています。

いとう　逆に言えば、彼氏とくっついていたほうがいいウイルスも出てくるかもしれないですね。ディスタンスをとってはいけないウイルスが出てくればまた別の話になりますが（笑）。

藤井　でも、手洗いの習慣は残っていくでしょうね。

冲方　「ウォッチメン」という作品があるじゃないですか。「ウォッシュマン」という手洗い啓蒙番組が出てきて、本当に手を洗ってなかったんだなと。そうやって**変化を受け入れていく人間を、社会は優遇します**よね。震災でも戦争でもそうですが、大儲けする人間が必ずいる。そういう人たちが社会を作っていったり、環境を整えていったりするんですけど、種の分かれ目というところでいえば、人間はそうやって常に優遇される種と、されない種に分かれていく。今後も満員電車族がいて、リモート族が悠々と生きていくなかで、過酷な労働に耐える人たちがいる一方で、どんどんスマートな暮らしになっていく人たちが増えていくのだろうなと思います。ここで初めてトロッコ問題が生まれてくるわけですよね。スマートになることを放棄してみんなで一緒になるか、彼らはそのままだけど、われわれが豊かならそれでいいじゃないかと言い張るか。そういう人間の在り方が今後も変わらないのか、変わるのか、という問いかけでもあると思います。

いとう　先ほどの藤井さんの言葉でいえば、精神的に違う種になることもありうるとか、習慣的に違う種になることもありえるかもしれないですしね。

冲　方　それが何百年も続けば、どこかで体形も違う、顔つきも違う、栄養の状態も違うから必然的に肌の感じも違う、見た目が変わってくると思いますね。シンガポールに行って、労働者と、あのビルに住んでいる人だなというのがパッとわかるじゃないですか。外見でわかるようになると、そこからどんどん分岐していくのではないか。そういった分岐した種もふくめて、ひとつのコミュニティを築いた場所に新たな人類が生まれるんですよ。ローマ帝国もそうですし、モンゴル帝国もそうですし、アメリカも、雑多なものを集めることに成功したからああなったわけで。

いとう　実験したからですよね。

いとう　さあ、ここで、みなさんにひとつの動画を見ていただきたいと思います。二〇一五年にアジア人初のヒューゴー賞をとって、二九〇〇万部を売り上げた『三体』の著者である劉慈欣（リウ・ツーシン）さんから、この世界SF作家会議にメッセージをいただきました。中国SF界の雄は、アフターコロナをどのように見ているのでしょうか。

劉慈欣　過去三十年間にわたって、人間は大過なく発展してきました。そのため、予測可能な右肩上がりの発展がこのまま永遠に続くものと思い込んでいました。しかし、今回の世界的な新型コロナウイルスの流行により、その夢は覆されました。人類が発展していく過程で前もって予測することの不可能な突発的な事件が起こることは十分ありえます。今回のコロナ禍については、まったく予測できないものではありませんでした。大規模な感染症の流行は人類の歴史上これまでに何度も起きているからです。しかしこの先、人類社会が遭遇する思いがけない出来事が完全には予測不可能である可能性もあり得ます。そうした出来事は自然に由来する可能性もあるし、科学技術に由来する可能性もあるでしょう。今回のコロナで証明されたのは、人類はこのような突発的な出来事に対し、精神面および物質面でまったく準備ができていないということです。そういう予想外の事件に対する準備が整っていないと、素晴らしい技術や発明さえも、人類にとって災害になる恐れがあります。**現在、ＳＦ小説だけが、人類が未来で遭遇する可能性のある予想外の出来事に対して真正面から向き合っているようです。**宇宙人がその一例です。地球外文明との接触は、ＳＦに出てくるトピックに過ぎず、現実的な問題ではないと人類は認識しています。しかしながら、地球外文明と接触する可能性は、今流行しているコロナウイルス以上にさしせまった、現実的な問題です。現在の新型コロナウイルス禍は、その発生から拡大までの間に過程があり、その過程が、危機を認識する時間を人類に与えてくれましたが、地球外文明は一夜にしてわたしたちの世界にやってくるかもしれないのです。現在、人類文明を完全に変えてしまう可能性のある、こうした予想外の出来事に対して、世界レベルではもちろん、国家レベル、社会レベル、個人レベルでも、誰一人準備ができていません。人類の未来の歩みは、ＳＦ小説より奇妙で、予測不可能なものです。わたしたちは未来の可能性に注目し、起こる可能性のある予想外の出来事に対して、少なくとも精神的・理論的に準備しておくべきなのです。

いとう　宇宙人の話になりましたね。

藤　井　たいへん大劉（ダーリユウ）らしいコメントだったと思います。

いとう　『三体』を読んでいる人にとっては、その問題が出てくるのかと思ったことでしょうね。大森さんどうですか。

大　森　やっぱり劉さんは本気ですね。０．００何パーセントかわかりませんが、異星文明とのコンタクトで大きな危機が訪れる可能性は現実にあるわけです。絶対ないだろうとみんなが思っているようなことがもし起きたら、ということに備えるのがＳＦの役割だろうと劉さんは思っているし、異星人の侵略に関して真剣に考えるべきだというのは、ＳＦの枠を越えて主張されていますよね。

いとう　劉さんの話を聞いていて思ったんですけど、コロナのことで騒いでいるときに、アメリカがちょろっとエイリアンのことを言ってましたね。

大　森　急にＵＦＯ映像的なものが出たり。

いとう　あれはみなさん、ＳＦの方々はどう見ているんですか。

藤　井　よくあることじゃないでしょうか（笑）。あの国からはいろんなものが出てきますからね。

大　森　専門のＳＦ作家には、ＵＦＯ論に関しては冷淡な人が多いです。

藤　井　私も先ほどファーストコンタクトについて言いましたが、劉さんは本当にＳＦ小説の可能性を信じています。ＳＦ小説だけが人類の本当に未知の問題に対して対処できる、準備させてくれるということを伝えたかったのだと思います。そのいちばん筆頭にあるのは異星人との交流だと。

いとう　新井さんはどうですか。

新井　今それですか、とはちょっと思いましたけど（笑）、**宇宙人に備えられればたいていのものには備えられる**かもしれないので、頑張りましょう（笑）。

大森　新井さんも「宇宙魚顚末記」（『グリーン・レクイエム』所収・講談社）とか、地球が滅亡する話を四十年前からいろいろ書いているわけじゃないですか。地球が滅亡するときにこうなると書いたことが、その後意外な形で実証されたりというのも十分あり得るわけです。いろんなことをいろんな人が考えて小説で書いておくと、三十年後に、あっ、ここで予言されていた！　となるかもしれない。

いとう　いや、それは大事。小川さんはどうですか。

小川　予測不可能なことに対して備えるといっても、どうやって備えればいいんだと率直に思いましたけど、例えば異星人がコンタクトするとして、僕らの想像力で異星人に対して想像しないといけないわけじゃないですか。異星人はまったく別の環境で、ロジックがあるかどうかもわからないし、まったく別の生命原理、原理があるかどうかもわからない存在である以上、僕たちが想像する宇宙人の像は、あくまで人間が想像するもの。侵略という概念があるかもわからないし、現実問題として宇宙人とのコンタクトを考えた時、小説家が小説が面白くなるように考える宇宙人の姿とは分けて考えないといけないのかなと思いました。こういう姿で、こういう要求をしてきて、僕たちをこう傷つけたというのは、全部が人間の想像力なので、そういった想像の埒外にあるものに対して、人間の想像力の範囲内でどういった組織をどう作って、誰が最終決定をするのかということは、小説の描き方とは違います。**小説は人間が読むもの**なので、人間の理解可能なものになりがちですが、そういったことも必要なのかなと思いました。

大森　現代SFのモードとしては、小川さんのような考え方、異星人が地球人にわかるようなかたちで攻めてくるはずがないというのが主流です。人類にはまったく理解できない地球外生命体というのを、一九六一年にスタニスワフ・レムが『ソラリス』（ハヤカワ文庫SF・沼野充義訳）で書いて以降、シリアスなSFではそっちがスタンダードになっちゃった。逆に、侵略SFがほとんど滅亡して書かれなくなったんですよね。でも、SF読者以外は地球外知性のありようを真剣に考えているわけじゃなくて、そんなの今の国際情勢を映したメタファーだと思っている。だから、SF原理主義的に理詰めで考えすぎると、かえって想像力の幅が狭まるというか、一般読者に届きにくくなるのかもしれない。ということを教えてくれたのが、僕にとっては『三体』でした。

いとう　他者はわかりえないかもしれないけど、その範囲を拡げることはできるという。

小川　実際は何らかの姿形で、人間にも理解可能な形のコミュニケーションを通じて、想像よりも先のことを考えることができるようになるというか。ゼロの視点で、何をしているかわからないから、どうしようもないよねということだと話が進まないし、それはその通りだと思います。

いとう　先ほど大森さんが、コロナ禍で性交渉が増えたのか増えなかったのかという話をしたいと僕に言ってきたんです。

大森　「アフターコロナのセックス」といったときに、みんな気になるのはそこじゃないかと思って。だって気になるでしょう（笑）。本当にセックスは増えているのか減っているのか、みんな家にいるからセックスしているのか、あるいは知らない人との性交渉に対して臆病になっていて、行きずりの恋とかが減って、ホテルに行く人も減って、全体的に出生率が上がるのか下がるのかということもどうなのかなと。ますます少子化に拍車がかかるのか、コロナベイビーがたくさん生まれるのかということもちょっと気になりました。

いとう　僕も、遠距離恋愛の人がすごく大変になるなと思いました。遠距離であるから、どういう環境にいたのか信じられない。会った時にキスも出来ないし、手も握りにくいのは確実にあると思います。

大森　ZOOMでできないのがセックスですからね。

いとう　冲方さんどうなんですか。

冲方　一瞬、宇宙人とどうセックスするかという話なのかと勘違いしかけました。話の急展開がすごいですね（笑）。

いとう　日常生活、卑近なところから考えてみて。

冲方　でも、日本は性病を全く防がない国ですからね。こんなにHIVが広がっても性産業が衰退しない。

大森　でも、性産業に関しては、性感染症の検査を定期的にやっていますというところもあるし、大きいところはそれなりに気を遣っている。コロナ以後になると、セックスワーカーはPCR検査が義務付けられるのかとか、恋人同士でもお互いに陰性証明がないとセックスしない文化になるのかとか、そういうことが気になりますね。

冲方　むしろリモートでオンラインデートをする人たちがもっと増えるでしょうし、ということは、生で会ってやることがすごく価値を持つようになるんですよ。

大森　でも、出生率がますます下がりますよね。

冲方　それこそ二極化するんじゃないですかね。めちゃくちゃ上がるところと下がるところがあるんじゃないかと。経済的に余裕のある人間は出生率が下がるでしょうし。お金を払ってテクノロジーでいろいろ代替できますからね。

大森　俺たちはウイルスなんて気にしないぞ、という人たちが集まって増やしていく？

冲方　むしろそっちのほうが抗体ができて、強い人間ができるかもしれない。そうなってくると、抗体ができて強い人間はいろいろやっても大丈夫だからというので、価値が上がったりね。

大森　俺は絶対感染しない遺伝子を持っているぜ！　というようなヒーローが現れたり。

冲方　さっきのゾンビ映画の話でもそうですけど、ゾンビの中に混ざっていく人って必ずいるじゃないですか。これが新しい世界なんだから、これに適応するんだ！　といって。アメリカで実際に行われたコロナパーティーは、わざわざ感染した人を呼んで、みんなで感染し合おうというものでした。性というのはもっと生々しい、人間と人間の距離がゼロになる行為で、これがないと人間はなかなか自分の生命の実感も得られないわけじゃないですか。リモートで、テクノロジーで代替できないと大森さんがおっしゃった通りなんですけど、代替できないことがわかっているので、どこかで線引きをして新しい価値を作り出して、どんどんやっちゃうのではないかと思うんですけどね。

いとう　確かに、電話ができた時もそんな状態ですものね。電話で済むじゃないかといわれれば、みんなが長電話をして。恋人同士の長電話が多くて、セックスの形がそんなに変わったとは思えないかもしれない。

沖　方　これから、安全な無菌室、無菌型ホテルみたいなものがでてくるかもしれない（笑）。入り口で全身消毒してくれるとか。

小　川　相手との会話のなかでＰＣＲ検査をしているか確認すること自体が、こいつセックスしようとしているなと思われるみたいな。ＰＣＲ検査、した？　と女の子に聞かれたりしてドキッとするような。

いとう　いいじゃないですか。

藤　井　検査を通っていることが前提の集まりが出てくる可能性がありますね。

小　川　出会い系サイトとかでね。写真を見せないと会えないというような。

大　森　Ｊリーグやプロ野球で関係者全員に定期検査を実施するというのは、その先駆けかもしれない。

藤　井　スター選手はおそらく検査を受けているだろうし、だったら安全だというようなカテゴリが生まれる。例えば海外の学会に行くと、検疫をする国で、空港に行ったら抗体検査をすることがわかっていた場合、学会に参加している人たちはセーフなんだよね

大森　というような。そういう集まりになる。学会だけじゃなく映画祭もそうですよね。

小川　PCRはまだ難しいかもしれませんが、唾液で抗原検査をすれば、感染力のあるウイルスを持っている人のうちかなりの程度は、その場でシャットアウトできる。

大森　フェイスブックのトップページにチェックマークで陰性、というような。パーティー会場に入るときは唾液を試験管に入れて係員の人にわたして、十五分後に入っていいかどうかわかる。

藤井　スーパーマーケットでもそうですけど、入る前に体温検査をしているわけですよね。抗体検査をして入ってというのはけっこうあると思いますね。

いとう　確かに僕らも今日フジテレビに入ってきたときにもやられたし、ちょっとデパートに行くとすぐやられますね。毎日チェックしてもらっているから気分はいいですけどね。

小川　逆に、やられなかったら、やっていない人が沢山その場にいるということになっちゃうので。

いとう　ということで、劉さんにもお話をうかがいましたし、これでタイトルどおり、最終的に「世界SF作家会議」になったところで、顧問の大森さん、SF作家の方々の目で見ていただくと、テレビのニュース番組でみているコロナの話とは全然違うので、自分たちにもおりてくるし、自分たちの明日のことも考えられるし、人のことも考えられたような感じがしましたけど。

大森　意外と真面目な話が多かったですね。もっとめちゃくちゃなことを言う人が出るかと思いましたけど（笑）。劉さんがいちばん飛ばしているっていう。日本代表チームが押され気味な感じで。

いとう　でも、文明の問題としてとか、文化の問題としてだとか、日常の問題としてだとか、レイヤーがいろいろあったので面白いと思いました。こういうことはもっとやるべきですね。みなさんどうもありがとうございました。

アフターコロナのヒューマン

森泉岳土

ロイは
屋敷の敷地から
出たことは
なかった
二十一世紀末
変異をつづける
コロナは慢性化し
——

人類は
ウイルスとの
共存を維持
しつづけていた
だが現状維持
というのは
いつだって
ほんとうは
後退戦なのだ
父さんも
希望はすてて
ないけど――

いつか潮目が
変わるって
信じて
いるだけだ

なんの
根拠も
ないのに
――

……ん?

あれは……

ひとだ!
ねえ あなたはだれ? どこに行くの? どこから来た?

いきなり質問ばかりだな

あ ごめん なさい
こんにちは ぼくは ロイです
わたしは ハーンだ ごきげんよう
外のひと見るの すっごい ひさしぶり だったんだ
家には 父さんと ふたりきり だし

ずっと その門のなかに ……？
……まぁ それが できるなら それが いいかもな
町は ウイルスで 危険だしな

やっぱり パンデミック まだ終わって ないんだ
ハーン さんは 大丈夫？

ああ 大丈夫
わたしは ヒューマノイド だからね

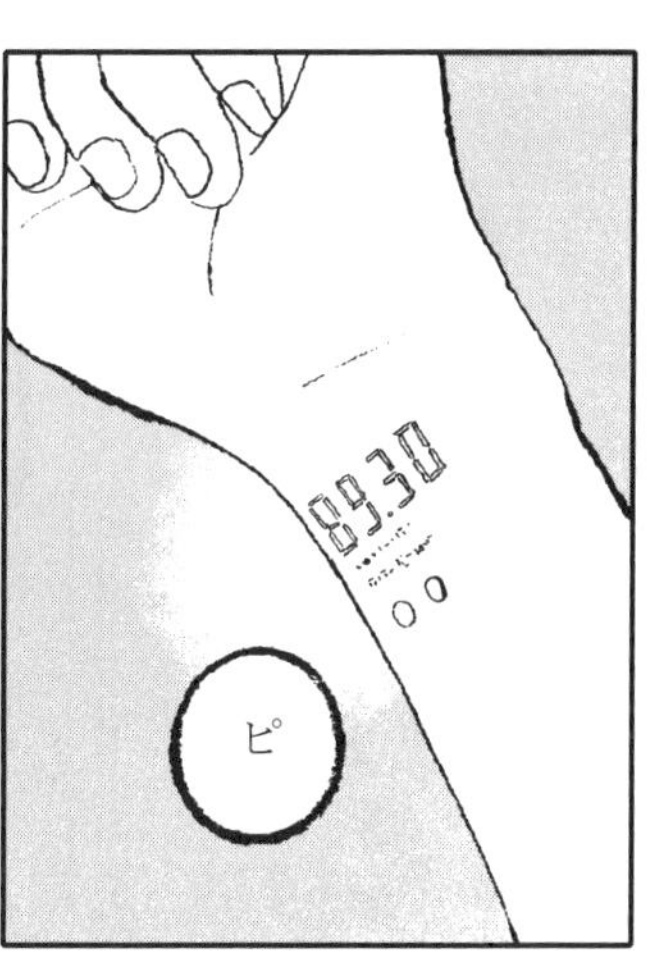
ピ

わあ！
ハーンさんヒューマノイドなんだ！

ぼくもだよ！

それはそれは！
ウイルスで亡くなった息子のかわりなんだって
もう三十年になるよここで暮らしはじめて

まあ
いいんだけどね
大事にされて
るんだろうから
いつかは
自由に外に
行ってみたい
けどさ

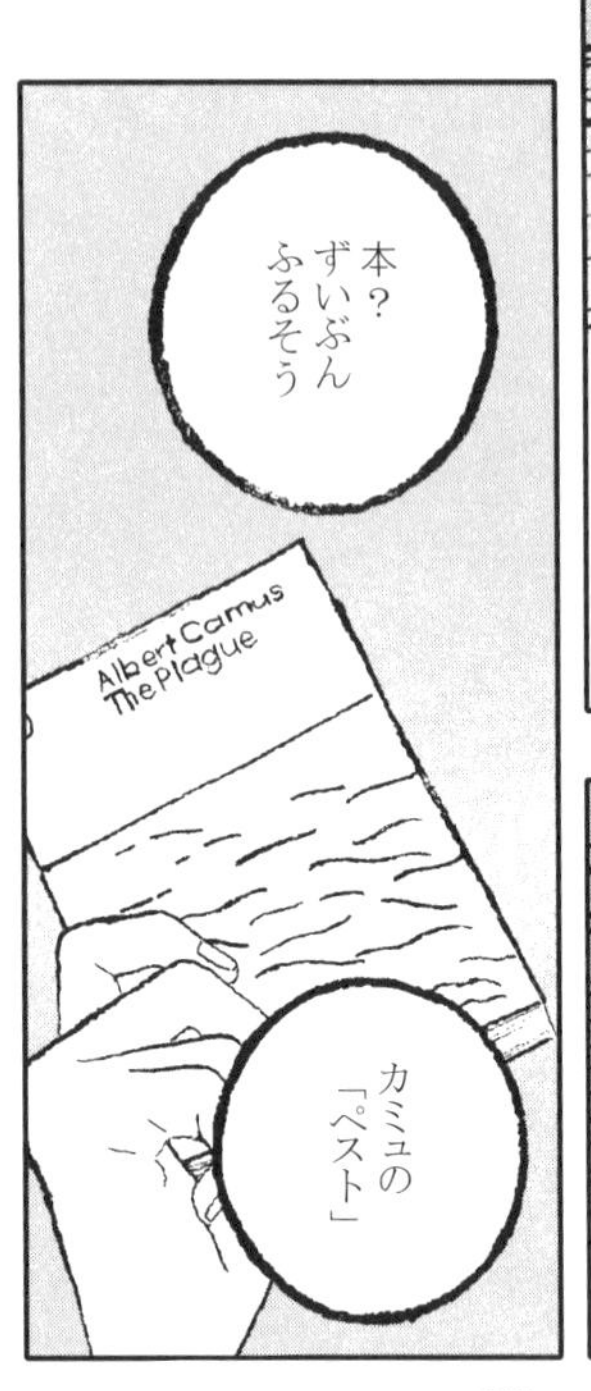
本？
ずいぶん
ふるそう
Albert Camus
The Plague

行けるさ
わたしたち
時間はたっぷり
あるからな
ほら
これ
あげるよ

カミュの
「ペスト」

ハーンさん
本なんて
読んでるの？

ふうん
じゃあぼくも
読んでみるかな
人間って
おもしろいぞ
たとえば
この本には
こうある

いったろう
時間は
たっぷり
あるからな

「記憶すること――それこそが人間の勝利だ」

ぼくたちは忘れないよ
人間は忘れるんだよくもわるくもね

だから彼らは残そうとする文字や映像なんかにしてね
それだっていつかはなくなるよ
この雪とおんなじだよ永遠に残るものなんてないもん

そうわたしたちはそれを知っている
だが人間はずっと残ると信じているんだ
どうしてだと思う？

どうして？

放送版協力：〈声優〉マキタスポーツ、夏目知幸／〈音楽〉牛尾憲輔

第一回世界SF作家会議　共同宣言

SFが、きわめて徐々にではあっても、
着実に科学のもたらす「新しい認識」にもとづく
自由な思考の場において、
人類と宇宙を探究し、表現しようとする
「未来の文学」の地位を築き上げてきたことは、
否定できないと思います。

「未来の文化」に対して大きな可能性をはらむ、
この若く新しい文化を、いっそう高い次元に
むかって開化させるための試みとしての
「国際SFシンポジウム」の意義について、
大方の御理解と御賛同を得たく、
さらに、望むらくは非力な私たちへの
御協力を懇願いたす次第であります。

一九七〇年　国際SFシンポジウム実行委員長　小松左京
（国際SFシンポジウム趣意書より抜粋）

アフタートーク

いとう　大森さんはいたって不満げでしたね。みんな真面目だなって。

大　森　あまりとんでもない話をする人がいなかったので。

いとう　冷静に考えればそれぞれとんでもないことを言っている可能性はありますよ（笑）。

大　森　普通と比べたらそうかも。でもたぶん、収録が終わってから言っている話がいちばんとんでもないと思いますね。

いとう　われわれが抜けてから向こうで笑い声がだんだん大きくなっていって。

大　森　ZOOM飲み会状態になってから、とてもテレビでは言えないような本音がいろいろ出始めたんじゃないかと（笑）。

いとう　オープニングで言ったように、一九七〇年代とか、未来を考えるとなればシンポジウムにはSFの人がいたという。

大　森　そもそも大阪万博のテーマ館にも、小松左京さんはサブプロデューサーとして関わられていたわけですし、さまざまな委員会に呼ばれたり、企業に呼ばれたりして、SF

作家と一般社会の距離が近かったんですよ。今は特殊化しちゃいましたけど。

いとう　でも、SFの人と言えば、僕にとってはいとうさんもSFの人ですよ。小説デビュー作の『ノーライフキング』からSFだったから。

大　森　ああ、おれ、そうでしたっけ。ああ、変な話ですよね。確かにウイルスっぽいし、誰が罹って死ぬのかという。

いとう　変化が静かに蔓延していくという話なので、かなり予言的なSFを書いていたのではないかと。

大　森　確かにあの時は、作家の日野啓三さんが、「東京に何か変化が起きている」と言い出されて、僕もビリビリ感じたんですよ。何かが起こっている。それは科学的に証明できるようなものではないのだけど、確実に僕の中にはわかると。それで書いたのがあの小説だったから。

いとう　TVゲームを題材にして書かれた現代小説というのもほぼ初めてですし、非常に先駆的なSF作家だなと思っていまして。

大　森　そうか、大森さんにとって俺はSF作家なんだ。

いとう　同世代のSF作家ですよ。

大　森　失礼いたしました。認識を改めます。

大　森　なのに、今回は司会という立場で。

いとう　そうそう。でも、話がしやすいですね。ＳＦの人たちは多様なアンテナで、何か違うことを言っても、それはそういうことなんだと食いついてくれて寛容だし、知識も広い。すごいしゃべりやすい。

大　森　意外とまとまりましたね。

いとう　そうですよ。ぼくなんか、新井さんどうしようかなと思っていたから。

大　森　僕も大丈夫かなと思ってましたが、いい感じでしたね。

いとう　ズバッとものを言っていただいてよかったですし。

大　森　コロナでお国柄の違いがあらわになるという話が出ていましたけど、今日の話も、このテーマだからこそ、メンバーそれぞれのスタンスや着目点の違いがはっきりして。普通にメディアで言われているようなものとはだいぶ違った話が聞けた点は面白かったですね。でも、劉慈欣さんのコメントがやっぱりいちばんぶっ飛んでましたね。

いとう　劉さん、信じるか信じないかはあなた次第です的な。おれ、違う番組に出てるんじゃないかなと思って（笑）。

大　森　『三体』もすごい名作みたいに言われていますし、実際ヒューゴー賞をとって、世界的に売れていますけど、小島秀夫さんが日本語版の帯に「奇跡の〝超トンデモＳ

F〟」とコメントされていたとおり、けっこうトンデモ度が高い。「いくらなんでもそれはないでしょう」というようなことも平気で書く人なので。

いとう　確かに、その自由さが出ていたと思います。

大　森　あるいは、どんなテーマで来られても、かならず自分の土俵に引きずり込む。

いとう　ここで普通のことを言ってもなと思ったのかもしれないし。

大　森　でも、そういうウケ狙いの人ではなく真面目な人なので、真剣に、ウイルスごときの心配している場合じゃないと思っているかもしれない。地球外生命体に対して用意をしておかないと、大変なことになると。

いとう　用意をした方がいいのは今回のコロナでよくわかったわけですしね。

大　森　でも、用意のしようがないこともありますよね。SF作家が想像したら、たとえばマスクの奪い合いで国際紛争が起きるとか、そんなマヌケなことは想像しないじゃないですか。テッド・チャンの話じゃないですけど、いろんなマヌケな事態というのが、SF作家の想像力の及ばなかったところで。ただ、予測するのは無理でも、日常レベルでいかにもありそうな変化を書くことはできるわけで、劉慈欣さんはそれがすごくうまい。だから、世界が破滅しそうな状況を一瞬で読者に納得させる力を持っている。小松左京さんもそういう力があって、『日本沈没』みたいな大きなSFを書いても、一般読者に届く。日本が沈没するわけないでしょと思っている人にもリアルに感じさせる。

いとう　リバイバルになっちゃってたからね、不思議ですよね。ちょうど。船が沈没する前にネズミが先に逃げるみたいに、日本で日本沈没の話がワーッとなっているころに、いつの間にかウイルスが蔓延してという。話として刺激的でしたね。

大　森　同じ小松さんのパンデミックものの『復活の日』も、コロナで脚光を浴びて、今いちばん売れている日本ＳＦじゃないかというくらいです。

いとう　ああ、やっぱりね。ところで、そのＴシャツなんですけど。それは大森さんたちが作ったのではないですよね。

大　森　これは早川書房が出しているオフィシャルグッズです。中国からちゃんと権利を買った、劉さんお墨付きのＴシャツです。

いとう　『Ⅱ』が出た時には色が変わるとか。

大　森　『Ⅱ』のサブタイトルは『黒暗森林』で、もうすぐ出ますけど、ぜひＴシャツも第二弾を出してほしいですね。

いとう　出たほうがいいと思いますし、私も欲しいなと思っているから言っているわけです(笑)。そして、番組をご覧の方、三名の方にプレゼントしたいです。やっぱりプレゼントがないとダメでしょう、この番組は。

大　森　なんで『三体』のTシャツをプレゼントするんですか（笑）。

いとう　それで惹かないと。あんなに面白くて待たれている小説があるなんて幸せですよ。

大　森　ほんと、締切に間に合ってよかったです。コロナのせいであらゆるライブや出演予定のイベントが飛んで、ひたすら仕事場にこもって『三体Ⅱ』の翻訳をやっていたおかげですね。

いとう　いいこともあれば悪いこともあればいいこともある。あざなえる縄のごとしですよ。

大　森　家から出ない仕事の人は、否応なく生産量が増えた。働くしかない（笑）。

いとう　でも、おかげで本を読む時間は結構できたのではないかと。脳みその傾き方も少し変わって、すぐにもどってしまうかもしれないけど、なんとなく記憶として、こういう時間ってあまり作っていなかったなというのが実感として自分でもありました。

大　森　さっき、冲方さんも言われていましたけど、全人類が体験する共通の時間。何十年経っても、あの時はこうだったみたいにして思い出すわけじゃないですか。全世界的な共通体験として、あの時は何カ月も家にこもっていたなあ、と。そんなふうに世界中の人と笑って話せる日が早く来るといいですね。

いとう　移動の自由が戻ってきているかどうかもわからないけど、人間は何とかするだろうというのが今日、みんなと話していてなんとなく心強く思いました。何とかしないといけないということは少なくともないんだと。でも、少なくとも悪い方向じゃないところになるべく持っていきたいという意思は全員にあったと思う。

大森　何十年か経って、フジテレビはＳＦ作家を集めて番組を作ったらしいよ、バカだねと言われたり。

いとう　あれは俺も観た俺も観た、という番組になりたいですね。

大森　今から思えばあれはまだいい時代だったよな、というふうになるのか、あんなに心配していたのがバカみたいだねという笑い話になるのか。

いとう　笑えるといいですけどね。ということで、第二回、よろしくお願いいたします。

大森　第二回？　はい。もしほんとにあれば、ぜひ。

第2回
世界SF作家会議

出演：新井素子、小川 哲、高山羽根子、藤井太洋
ビデオ出演：劉 慈欣（リウ・ツーシン）、ケン・リュウ、キム・チョヨプ
司会：いとうせいこう／顧問：大森 望
コミック：宮崎夏次系

放送日：２０２１年１月６日（収録日：２０２０年１２月１３日）

いとう　明けましておめでとうございます。いとうせいこうです。「世界SF作家会議」、始まりました。お隣は顧問の大森望さんです。

大　森　明けましておめでとうございます。

いとう　昨年の七月以来の第二回となりまして。前回は新型コロナウイルスがいろいろと猖獗を極めているときにやったんですが、今回もそれがまだ抜けきっていないということで。

大　森　そういうなかで、いったい何をテーマにするか。そこで今回は、お正月に相応しいテーマを用意しました。

いとう　まったくです。二〇二一年を占う番組になっておりますので、ぜひご覧いただきたいと思います。

パンデミックから一年……SF作家たちはどう見たか？

いとう　今回、第二回世界SF作家会議に参加する、未来を考えるプロ、SF作家の皆さんをご紹介いたします。よろしくお願いいたします。まずは、新井さん、藤井さん、小川さんは前回に引き続きのご参加ですが、新井さんがなんと、リモートをご自分でされたと。

新　井　夫のパソコンですが（笑）。

いとう　前回はわれわれがバックアップしましたが、あの新井素子がリモートを習得したことが一大事として語られております。

新　井　素晴らしいですね……自分で言うな（笑）。

いとう　よろしくお願いします。そして藤井さん、前回の評判はどうですか。

藤　井　よかったという話しか聞いてないですね。

いとう　今日はプレッシャーがかかりますね。

大森　藤井さん、髪が伸びたんですね。
藤井　もう丸一年半ぐらい切ってないですね。
いとう　いい感じになってますね。
大森　ヘアドネーションをされるそうで。
藤井　はい。その前に、今書いている作品の作中の人物と同じ髪型にできるように（笑）。
大森　書くたびに作中人物の髪型になってたら大変じゃないですか（笑）。
藤井　髪の毛ぐらいなら（笑）。
いとう　藤井さんは前回と同じく、背景が自作のものですね。
藤井　はい、本当はアップデートしたかったんですけど。
いとう　そして、小川さんがなぜか、われわれと同じ背景。フジテレビのリハーサル室ではないかと思いますが。
小川　僕も全然わかりませんが、フジテレビに来てくださいと言われまして……リモートでできるんですけど（笑）。
大森　新井さんが自宅になったから、代わりに来たって。
新井　そうなの？（笑）
いとう　高山羽根子さんは今回初参加です。よろしくお願いします。前回の会議はご覧になりましたか。

高山　楽しく拝見しました。あんなふうに面白いことが言えるのか不安なのですが、よろしくお願いします。

大森　高山さんは存在自体が面白いタイプですから大丈夫です。

いとう　今回はこのメンバーに加え、海外のSF作家たちもVTRで参加いたします。

大森　いよいよ世界SF作家会議らしくなってきました。

いとう　楽しみにしていただきたいと思います。前回の会議から半年ほど経ち、コロナ禍は変わらないんですけど、世界でもアメリカで大統領が代わるなど、いろんな変化がありました。この現状をSF作家としてはどうとらえているのか。藤井さん、どうですか。

藤井　激しく動いてますね。振れ幅がどんどん大きくなっている気がします。わかりやすい言葉でいうと**「分断」**なんですけど、**加速していますね**。

いとう　そこが今回の通奏低音になるかもしれません。小川さんはどう見てますか。

小川　どういった形になっていくかはわからないですけど、大統領選挙はコロナがなくても行われていたものですよね。コロナによって生活は変わったし、流行り始めた当初に、今年の年末はどうなっているのかなと考えた時の希望的な予測通りには**社会は全然元に戻っていない。いくつかのものは今後も戻らないだろう**と思います。

いとう　失われたものは、全部かえってくるわけではないという。

小川　ただ、作家は比較的、生活に変化があまりない職業ですね。

いとう　もともと、こもっている人たちだから。

小川　作家としての立場とともに、生活を変えられた人の立場も身体感覚としてわかるようにしないといけないと、今後も思います。

いとう　確かにその通りだと思います。高山さん、いかがですか。

高山　そうですね。今までと変わったことはいっぱいあって、それらはだいたい今回の疫病で引き起こされてはいるんですけど、それが例えば違う困難、アメリカのBlack Lives Matter*にしてもそうですが、問題自体は、もっと前からある。日本において今回引き起こされた**医療などの人員リソースや相互監視的な問題も**、十年前、二十年前から**日本のなかでもともとあって**、その脆弱な部分が、今回のきっかけで表出した。それが災害だったとしても他の天災にしても、各地で引き起こされているもの自体は

* Black Lives Matter
「黒人の命は大切だ」を掲げる、黒人差別反対運動。二〇二〇年、コロナ禍の中で大規模な社会運動や暴動に発展した。

いとう　〝もともとあったこと〟が多いのではないかという気がします。

新　井　先ほど藤井さんが言ったように、分断や相互監視の問題が世界で一気に起きざるを得なかったというのが今回の特徴ですね。みんな、コロナになってしまった。なかなかないことだったのかもしれません。新井さんはどうですか。ご自身でリモートされていること自体が大きな変化ですけど。

いとう　もう少し収束の方向に向かっていることを願っていたので、こんなに長引くのだなと。日本でアマビエ*の絵があちこちに貼ってあって、アマビエ饅頭とかも売っていて、それはすごく日本的だなと思いました。ヤマザキマリさんの本を読むと、**イタリアの方は疫病と闘おうとしていますね。日本だと疫病もそうですが、地震や噴火、災害は全部、いなすもの**じゃないですか。戦うものだと思っていなかった。そうか、世界には戦う民族がいるんだと思って感動しました。

新　井　なるほど、今になって違いがよくわかったと。

いとう　うちもそうですが、玄関にアマビエさんを貼って。明らかにいなしてますもんね。

新　井　コロナも含めて、神様の範囲のものだと思っていますもんね。

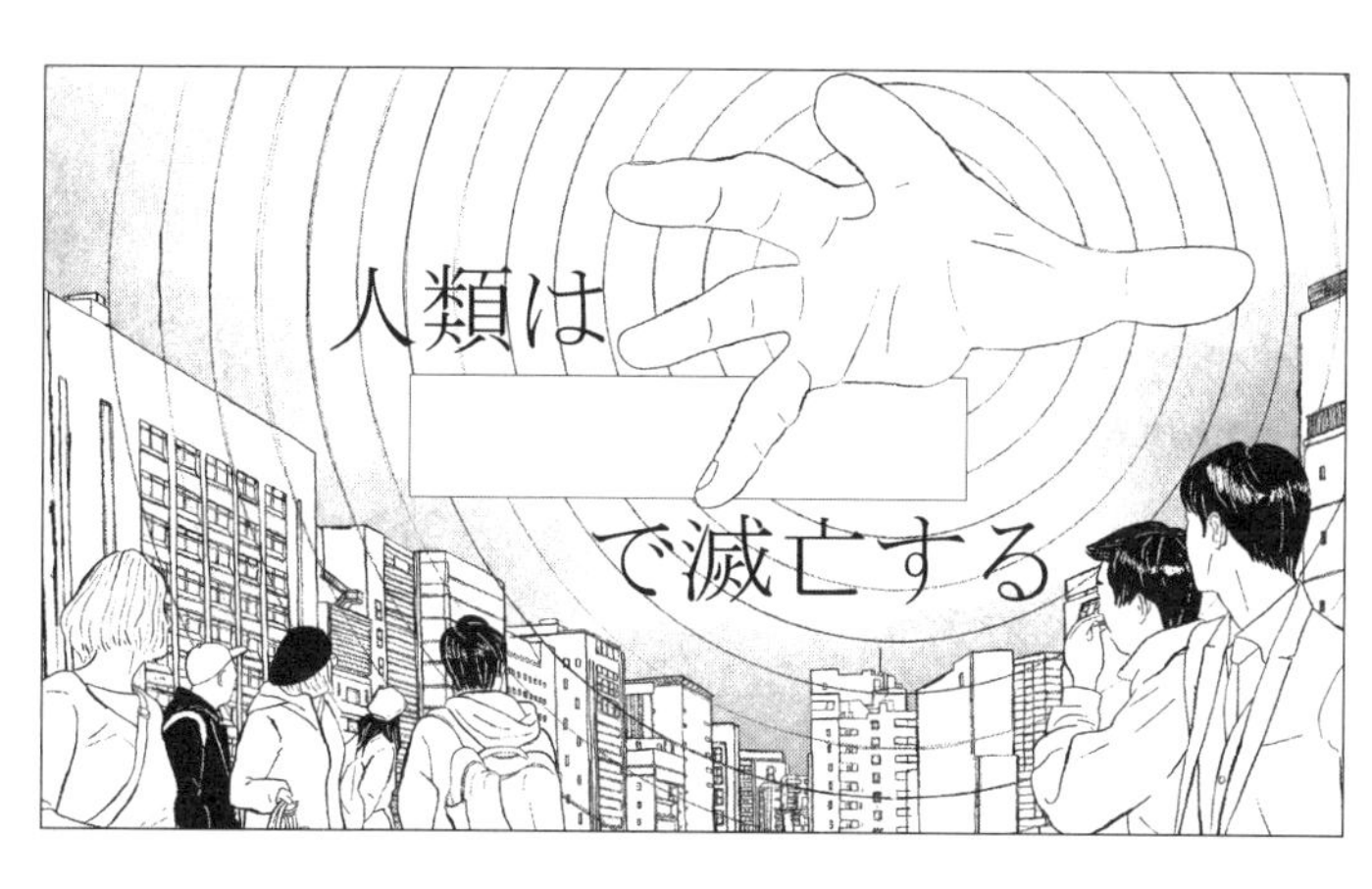

テーマ：人類は●●で滅亡する

いとう　今は一月六日の深夜なのですが、二〇二一年の冒頭にお送りするのは滅亡の話です。これはSF作家にこそ訊くべきですね。芸人に訊いたら、ただの大喜利（おおぎり）ですから。そうそうたるSF作家の方々が、なぜ人類は滅亡すると考えるのか、お一方ずつお考えを聞いていきたいと思います。

＊　アマビエ
江戸時代後期に現われ、疫病を予言したと伝えられる妖怪。疫病退散のご利益があるといわれ、コロナ禍でその存在が知れ渡った。

■「人類はチーズケーキで滅亡する」　小川哲

いとう　まずは小川さん、また突拍子もないことを言い出しましたが、どういうことですか。

小川　大喜利っぽい答えになっちゃいました（笑）。作家という立場を離れて、一人の人間として当たり前の答えを考えると当たり前の答えしか出てこない。「隕石」とか言ってもしょうがないかなと思って。それ以外の理由で滅亡することがあるとしたら、僕はチーズケーキだと思ったんです。*

いとう　どういうチーズケーキなんですか。

小川　**チーズケーキ**って、**自然界に存在しない味**じゃないですか。自然に発生している食べ物ではない。

いとう　人工的に作りだされているものと。

小川　チーズも、牛乳を加工したものですし。そこに砂糖や小麦粉やいろんなものを加えて、複雑な料理の工程を経て完成する。そのあたりに生えているリンゴやブドウのようなものではないですね。人類はチーズケーキ的なものをたくさん作り出してきたわけです。それは僕が仕事をしている小説もそうです。小説を作るという作業も、出来事を人工的に混ぜ合わせて、人工的に展開して、読者においしいと思ってもらえるものを作る。千年ぐらい前から脈々とそういう技術をみんなで磨いてきた。いろんな社会制度も、もともと動物が生存のために必要とする制度から大きくかけ離れて、**人工的に、自然的に発生しないような技術や社会制度**をどんどん作って、それがひょっとしたら、人類の繁栄、どんどん人類の数が増えていくということと矛盾し始めてきているのかなという気がしています。日本は少子化が進んで、人口がこれから先も下がっていくばかりですが、人類をひとつの種族としてみると、**少子化は種としてかなり致命的な**問題だと思うんです。そうやって滅びていくのは、普通の動物だとあまりないと思う。なぜ少子化になっているのか。例えば経済や社会のシステムといった**文化的に複雑に作られてきたものが、逆に種としての人類の首を絞めたりする**のかなという意味でありました。

いとう　例えば具体的に、文化的なものの上にあぐらをかいているわれわれが滅亡するとすると、どんな文化的トリガーがあるのでしょう。

＊　チーズケーキ
心理学者スティーブン・ピンカーは、著書『心の仕組み』（椋田直子・山下篤子訳、ちくま学芸文庫）の中で、音楽のことを、人間が心地よく感じるように精巧につくられた〝聴覚のチーズケーキ〟と呼んでいる。

小川　文化と広く言ってしまうのも何ですが、例えば結婚をして――結婚する必要はないかもしれませんが――たくさん子供を産むことや、夫婦でたくさんの子供を残すことが、必ずしも正しいことではないわけじゃないですか。文化的な問題だったり、あるいは経済的な問題だったり。人間は多様な価値観を生み出してきて、認めてきたという歴史がある。その歴史自体は人類の数を増やすというか、人類が永続的に繁栄していくという、種としての目的を超越したものだという可能性があるという感じですね。

いとう　なるほど。藤井さん、小川さんの意見はどうですか。

藤井　チーズケーキではないですけど、それ言いたかった（笑）。取られちゃったな、という感じですね。

いとう　そうでしたか。あとで期待しております。高山さん、いかがですか。
高　山　小川さんのいつものスベリ芸みたいですね（笑）。意外な感じに行こうというところがありますね。
いとう　裏の裏をかこうとして。
大　森　チーズケーキはいいけど、「そのココロは……」というのを一言で言えないとダメだよね（笑）。
小　川　台本とちょっとイメージが違ったんですよ（笑）。
いとう　新井さんはどうですか。
新　井　文明によって、人類が生物として本能的におかしくなっているというのはとてもわかる。でも逆に私、**少子化はけっこう救い**かなとも思っています。哺乳類がここまで一種類で栄えちゃうと、天敵が絶対に出てくるのだけど、人間は現時点では天敵がいないじゃないですか。天敵がいないような頂点に立っている人たちは、増えすぎるとご飯がなくなって飢え死ぬんですよね。そこを人間はがんばってなんとかしちゃった。これが大問題。人類がピラミッドの頂点にいるとしたら絶対に変な形になっているので、たぶん、人類は減るべきなんですよ。だから、少子化って、人間の本能的な生物としての危機感が、これ以上増えちゃいけないと思っているのかなと、私は思っています。

いとう　なるほど。むしろ人類はチーズケーキで救われる、といった方がいいと。

新　井　うーん、救えるところまでいけるかどうかはわからないのだけど。

大　森　人類は飢餓で滅びるんじゃないかというのは、ほんの数十年前まで切実な問題だったんですが、二十一世紀になると、まだ一部地域で飢餓が残っているとはいえ、文明がそれで滅亡する可能性は低くなった。逆にカロリー過剰で死んでいる人たちの方が飢餓で死んでいる人より多いという状況になっていて、文字通りチーズケーキで死んでいる人がたくさんいる。肥満もあるし、**文化的な豊かさが人間を滅ぼす**ということももちろんあるだろうということです。

いとう　そうですね。スベリ芸と言われた小川さんは釈明してくださいよ。このまま終わらないほうがいい（笑）。

小　川　よかれと思って気合いを入れたら高山さんにスベリ芸と言われるし、やる気のない感じでやると大森さんからトップバッターであれはないよと言われるし、僕が滅亡したいですよね（笑）。

いとう　このあと人に噛みついてうまく挽回してください。

小　川　そうですね（笑）。高山さん、特にね。

いとう　続いて、今回の会議に参加してくださった海外のＳＦ作家たちの意見を聞いてみたいと思います。まずは前回も参加してくれた、『三体』の劉慈欣（リウ・ツーシン）さん。前回、劉さんは宇宙人の話でぶちかましてくれましたね。

大森　そうですね。それまでの議論のすべてを無にするような強烈な意見をかまして、さすが世界の『三体』を書いた人だなと。今回も楽しみです。

いとう　中国ＳＦ界の雄は、人類はなにで滅亡すると考えるのか。

■「人類は宇宙からの災難で滅亡する」劉慈欣

劉慈欣　この質問に対して、わたしからはっきり答えを申し上げるのは難しいです。ＳＦ小説の考え方に応じて、できるだけ様々な可能性を比較検討していますが、どの可能性が現実になるか、ＳＦ作家がコントロールできるものではありません。昔、一部の学者がこの問題について議論し、人類滅亡をもたらす原因を分析すると、二十以上の種類がありうるという結論を出しました。実際、ＳＦ小説では二十種類をはるかに超え、

数え切れないほど多くの可能性が検討されています。とはいえ、これらすべての理由は、大きく二つのカテゴリーに分けられます。一つは自然によるもので、もう一つは人間自身によるものです。もちろん、自然災害が発生した時、人間自身による災害も発生し、両者が同時進行する可能性もあります。しかし、わたしは個人的に、人類滅亡の原因としてもっとも可能性が高いのは、自然の災厄であると思います。人類自体が自己破壊につながる多くのクレイジーな行動をとってきたのは事実ですが、最終的に人間の理性が勝ち、生きていくと信じています。たとえば、わたしたちがいままで経験した核の危機と災害は人間の理性によって解決されました。しかし、自然がもたらした、乗り越えられない災難もあります。とくに宇宙からの災害などは

克服することが難しい。例えば、太陽の急激な異変がもたらす災害など、防ごうと思っても、わたしたちには手の打ちようがありません。したがって、人類文明のテクノロジーがある程度まで発達しないかぎり、大自然や宇宙からの災害に直面した時、人類は徹底的に滅亡します。絶対！

いとう　「絶対！」で終わっていましたけど、もうお一方にいってからみなさんと討議したいと思います。『紙の動物園』でネビュラ賞、ヒューゴー賞、世界幻想文学大賞の三冠を果たしましたケン・リュウ先生が登場します。劉慈欣さんとケン・リュウさんが続けて出るというのは相当すごいことですよね。

大森　そうですね。中国ではお二人とも国宝級の素晴らしい作家といわれていますし、ケン・リュウさんが劉慈欣さんの『三体』を英訳したおかげで、世界的な『三体』ブームが起きました。現在のグローバルな中国SFブームの立役者がケン・リュウさんといえます。作家としても素晴らしいし、翻訳者としても素晴らしい。

いとう　ケン・リュウさんは、人類は何で滅亡するとお考えなのでしょうか。

「人類はポスト人類（ヒューマン）で滅亡する」ケン・リュウ

ケン・リュウ　こんにちは、ケン・リュウと申します。マサチューセッツ州ボストン出身の作家です。人類滅亡をもたらす原因として、たいてい人々は、核戦争やパンデミック、気候変動などを心配しますが、わたしは楽観主義者ですので、そういう災害が原因で人類が滅びるとは思いません。わたしたち人間はとても打たれづよく、臨機応変ですから。ですので、人類はそういった災害のシナリオを乗り越えるすべをきっと見出すでしょう。

しかし、いつかきっと、人類が地球から姿を消す日は来ると思います。それは、こんなふうに起こるでしょう。わたしたちは現在、人類の歴史上はじめて、自分たちの運命を操り、進化の方向性を導ける段階に達しています。生物学的操作や遺伝子工学を通じてか、あるいはテクノロジーと機械のより緊密な融合を通してか、いずれにしても、現代の人類には技術的に不可能な能力を、わたしたちの子孫に与えることが可能になります。わたしたちはより強く、より賢くなり、また病気への抵抗力も増しているでしょう。現在わたしたちを取り巻く超情報社会にもっと適応し、それらの情報をもっとうまく処理し、今日までわたしたちが作り上げてきたその技術環境に適した存在に変わっているでしょう。将来、どこかの時点で、わたしたちの子孫にとってこういう変化があたりまえのものになり、現代の人類とは異なる存在になったとき、彼らはもはや自分たちが人類であると考えるのではなく、〝ポストヒューマン〟だと考えるでしょう。

わたしにとってもっとも興味深い問いは、ポストヒューマンがいまの人類と比べて、モラルという点で優れているかということです。知能的にも身体的にもより優れた人間をつくることは容易ですが、モラル的に優れた人間を作ることは遥かに困難です。ですので、もしポストヒューマンが現代人より優れたモラルを獲得できたとしたら、ある意味、人類の滅亡は嘆くべきことではなく、祝うべきことかもしれません。

いとう　ケン・リュウさん、見事なスピーチでしたね。さすがだな、組み立てがすごい。高山さん、どちらの方の意見でもいいのですけど、コメントいただけますか。

高　山　まず最初に、劉慈欣さんの、絶滅にはあらゆる変わったことを考えるのが作家とおっしゃっていたので、そう考えると先ほどのチーズケーキは、正しい。私もそういうふうに考えるべきだったなと思いました。一般的なことを考えるのが作家ではないと怒られた感じがしました。

大　森　でも、二人ともチーズケーキでは滅びないという説なので、小川さんとは対立している。

いとう　小川さんはどう見ますか？

小　川　僕も、二人の意見はその通りだなと思いました。ＳＦ作家として正しいことを言うこともそうだし、議論の場で他の人と違った角度で物を見るということもあるし、作家の仕事自体がそうなので、正確に未来を予測することだけが仕事ではない。二人のアプローチもその通りだなと。

いとう　ケン・リュウさんは、遺伝子工学などで人類が変わっていくことでポスト人類が出てくるなら、その前の人類は滅びているという考えでいえば、文化的なことで滅びるという考えは同じですね。

大　森　モラル的に優れた新人類によって、ダメな旧人類が滅びる。

小川　**遺伝子工学自体、現代の人類のモラルの中でかなり制限されている**というか、その発達自体を人類自体が制限しているんですよね。だから、技術的に可能なことでも達成できていないことも多い。個人的には、遺伝子改変によるポスト人類は、いろんな可能性の中で閉ざされてしまったのかなと考えています。

いとう　この後の何十年という幅で見ると、今後はどうなんでしょう。

小川　再生医療などに突破口がありそうですが、医療の現場で優れた人類を生み出そうという動き自体は、今は研究としてなかなか進めづらいところがあると思います。もうちょっと違ったところ、人工生命などの命を作るというところから発達した技術が、転用される可能性はあると思います。でも、先のことは全然わからないですね。特に倫理は、モラルがどうなるのか想像がつかないので難しいと思います。

大森　ポストヒューマンのモラル、人間と違うモラルを持ったものが人間なのかどうかという問題は、いままで日本のＳＦではあまり検討されてこなかったと思いますが、劉慈欣さんの『三体』三部作では、地球と切り離されて深宇宙を旅しはじめた時点で人間は人間でなくなってしまう、モラル的な意味で、まったく新しい別種の人類が生まれるんだという話が出てきます。肉体的にはまったく変わっていないのに、決定的に心理が変化して、モラル的な新人類、銀河系人類が誕生する。この視点がたいへん新鮮でした。これをポストヒューマンと呼ぶこともできると思いますが、そうなってくると、どこまでを人類と呼ぶのかという問題になってくる。

いとう　藤井さんはいかがですか。

藤　井　まず、お二人の並びが感動的ですね。中国では劉慈欣は大きい劉（ダーリュウ）とよばれていて、二人とも劉なんですよね。ケン・リュウのほうは小劉（シャオリュウ）。

二人の劉がいて、どちらもたいへんに愛されている。

大　森　劉慈欣さんのほうが年上ですね。

藤　井　単純に年上なので大劉と。お兄さんでいうと、弟みたいな。

いとう　ダブルドラゴンでお送りしたと。

大　森　その竜じゃないです（笑）。

藤　井　二人とも、作品の作風に沿ったものであることにも感動したんですけど、宇宙的な災害に人間が対応できなくなるという劉慈欣の発言は、そうだなという気もします。ケン・リュウの、それをさらに乗り越えてポストヒューマンが生まれるところまで引っ張っていくという予測も私は支持したいし、手伝いたいという気持ちもありますね。

いとう　ありがとうございます。新井さんはどうですか。

新　井　ケン・リュウさんのポストヒューマンって、人間から出てきたものだから人類に混ぜちゃダメなのかな。考え方が変わったってこれも人類の一種じゃんと思えば滅亡しなくてすむのではないかなと思いました。

いとう　概念上の滅亡ですものね。

大　森　旧人類がいくら仲間だと思っても、新人類たちが、「いや、もう俺ら、人類じゃないし」と思っていたら、難しい。どっちをとるかというと新しいほうの意見が通るのではないかと。

新　井　モラル的な問題として、新人類はそんなこと言っちゃいけないと思う（笑）。

いとう　新人類にプレッシャーをかけている（笑）。

新　井　先に年老いていく人たちはいたわってほしい（笑）。

藤　井　今話している内容はタイムスケールがすごく長いですからね。

新　井　どう考えても百年や五百年じゃないよね。ましてや、意識まで違うとなると、三世代四世代じゃないですよね。

藤　井　だけど、モラルって普通に十年ぐらいで進化しますよ。

新　井　モラルは変わるだろうけど、人がそれについていくのには少しタイムラグがあるんじゃないかな。

藤　井　**私たちの子供は、私たちの父親の世代みたいな暴力性はおそらく持てない**ですよね。

いとう　確かに。

小川　ケン・リュウさんの言い方をすごく素朴にとらえると、モラルが発達してパワハラ親父の生きる場所がなくなって、パワハラ親父が滅亡したら、それは新人類にとっていいことだよねという話にもとれる。何年かの間で起きることなのかなと。

いとう　社会意識ってそういうものですものね。

いとう　続いては、藤井さんと高山さんの答えを同時に出してください。

■「人類は愛で滅亡する」高山羽根子、藤井太洋

いとう　同じですね。中身はどうでしょう。

藤井　高山さんとかぶるとは思ってなかったです。

高山　本当にすいません（笑）。

藤井　てっきり、スベりがちな小川さんとかぶると思ったんですけど。

高山　劉慈欣さんに普通すぎるってぶん殴られちゃいそうですね（笑）。

いとう　高山さんはどういう意味での「愛」なのですか。

高　山　藤井さんが言う後ろで、そうだそうだと言おうと思っていたんですけど（笑）。もともと**愛なんていうものは、人類の中ではちょっとしたバグ**というか、生きているうえでの感情のエラーに近い。そのエラーを**人類は社会規範とか宗教といったものをパッチ（修正プログラム）として**なんとかいい感じにしてきた。そういうふうにして進化を続けてきたところがあると思うんです。先ほどのモラルにもつながってくるのかなと思うんですけど。あまりこういうことをいうとなんだか文学者みたいで、口はばったいんですけど。

いとう　文学者でしょ（笑）。

藤　井　芥川賞作家が文学者じゃなかったら誰が文学者ですか（笑）。

高山　愛によって地球が滅びる、なんて言っちゃうとしゃらくさい感じがして。ただ、規範や宗教がパッチだとしても、数千年も使ってたらちょっとほころびたりするじゃないですか、ふつう。宗教や文化で定義されるような愛なるもので進んでしまった人類の歴史上のエラー、戦争もそうですけど、愛とか正義があることで歩みを止められなかった行進なんかは、歴史を見ているといっぱいある。それに加えて、ことさらに強く、愛や正義、絆という言葉を出すことに対しては、ちょっとだけ慎重になりたいなという思いがあります。私たち〝なにか書く人〟は疑うのも仕事みたいなところがありますが、特に力のある人たちがそのバグを利用して、愛を言葉の最初に大義名分として用いること、会社の上の人たちが掲げる愛社精神とか、愛国といったものに対して、人類ひとりひとりが持っている脆弱性を利用してきてるんじゃないかっていうことを、受け取る側が少しだけ疑ってもいいのかなと思います。

いとう　最後におっしゃった「脆弱性」、すごく伝わりやすいかもしれないですね。バグだとシステムのバグみたいになっちゃうけど、そこを突かれると弱いとか、愛なんて持ち出さなきゃいいのにとか、それゆえにあきらめられないことが出てきたり、人と対立したりということですよね。弱みというか。

高山　そうですね。自分の子供と、戦争相手の国の子供は同じ幼い人間だけど、自分の子は

大事だよねとか。預かった子供と自分の子供と、血がつながっているほうがより大切に決まっているよね、ということに対して、本当に？　と疑ってみたり。それがあるからよけいにややこしく悲惨なことになっていない？　と立ち止まって考えられたらいいかなと思います。

いとう　ちょっと待ってください。小川さんがイヤな感じに笑ってますね。小川さん、どういうことですか？

小川　いやあ、長いなあと思って。話が長いし、まわりくどいし（笑）。

高山　でも、うまく編集してくれるんですよね？（笑）

大森　逆に、今、小川さんが「長いなあ」と言ったことで、そのまま使われるかもしれない（笑）。

いとう　藤井さん。高山さんと同じような考え方で人類は滅亡するとお考えですか。

藤　井　入り口は違うのだけど、結論が同じでびっくりしました。私が言う愛の入り口というのは、**人間が所詮**（しょせん）**、サルとそうそう変わっていない**という前提で、**愛はそれを象徴するもの**なんですよね。温かいものが気持ちいいとか、子供が好きとかみたいな、動物として持っていた考え方の枠組み。それを象徴するのが愛だと思っています。動物性で最終的に人間が問題に対処できなくなる時が来るのではないかという気がします。

［藤井、リンゴが木から落ちるのを思い浮かべるサルのスケッチを出す］

いとう　ちょっと引いていただけますか。これはリンゴ。

藤　井　**万有引力の法則**を発見したニュートンは、リンゴの落下で発見したという逸話がありますが、私たちが**地面に立って歩いている生き物として、すごく不自然な考え方**なんですね。すべてのものが引き合う力を持っていて、宇宙空間だと引き合って回転して運動するという考え方はすごく不自然なんですけど、その不自然な考え方をもたなければ物理学はここまで進歩しなかった。

いとう　実感とはまるで違うと。

藤　井　はい。小説も、こうなってこうなりましたという形で順番に語っていく。ナラティヴ、語りという技術も肉体に依存しているわけです。コンピュータで絵を出す時は、逆方向に絵を作っていくことが多くて、カメラから線を引いていって、そこになにがあるかをひとつひとつ見つけていく。順番が逆立ちしている。あるものを撮影するのではなくて、カメラから線を引いて、そこにあるもの、色を探していく。コンピュータと人間はいろんなレベルで考え方の枠組みがまるで違うんですけど、人間はひたすらサルなんです。物があったら落ちると思うし、あるものは消えないと思う。例えば財政も、お財布の例えでつい考えてしまう。何もないところからお金が出てくるとは思わないじゃないですか。でも、国債を発行するのは何もないところからお金を出すわけで、カラ売りもそうですね。今、**世界を動かしているとても大きな力というのは、私たちの肉体的な感覚とはすでに乖離しているんですよ**。この乖離についていけなくなったときに非常に大きな問題に直面するのではないかという気がしています。新型コロナウイルスで親しい人が亡くなることがつらいという感情が、いろんなところで足を引っ張るというか、いろんな場所でドラスティックなやり方を止めてしまいますよね。亡くなった方に会いたいから、聖職者が秘蹟を行うからということで、イタリアで感染が一時期拡がりました。日本では、忘年会や新年会をやりたいからというので拡がっていますけど。そういう部分がなかなか割り切れないですよね。**人間が動物で**

あるからこそ、動物の限界を越えられなくて、できないことがどんどん増えてくるのではないかという。

いとう　**医学の論理と感情の論理、仲間内の論理**が寄り添って動かないので、自ら災厄を引き寄せる場合があるという。

藤井　越えられない壁や問題が生まれてくる可能性があるんじゃないかと。

大森　愛のとらえかたで、高山さんとは正反対ですね。

藤井　ですけど、人間の属性ですよね。愛という脆弱な思考を持っている、というような。

大森　藤井さんの愛は動物的なもので、高山さんの愛は文化的というか、動物的じゃない、人間ゆえの脆弱性。正反対のところから同じ結論に達するというのが面白いですね。

小川　フリップ回答でいちばんなにがスベルかというと、答えが被ることなんでね。

一同　（爆笑）。

いとう　そんなところから斬る？　しつこいな（笑）。

［小川、フリップに描いた高山羽根子の似顔絵を無言で出す。吹き出しに「愛」の字］

高山　長いなと思いながら、そんな絵を描いてたんですか（笑）。

いとう　高山さんと藤井さんは、まさに正反対のところから、人類は愛で滅亡するという答えが出ました。確率的には正確性を増したように感じますけど、小川さんはわけのわからない絵でぶっ潰してきた（笑）。では、三人目の海外作家であります、韓国の女性SF作家、いま話題になっている一人です。キム・チョヨプさんです。

■「人類は目に見えないもので滅亡する」キム・チョヨプ

キム・チョヨプ　こんにちは。蔚山（ウルサン）よりご挨拶申し上げます、キム・チョヨプです。

　人間は見えないものによって滅亡すると思います。人間の感覚がキャッチできる範囲の外にあるもので。コロナ・パンデミックの渦中で、こんなことを思いました。今のこの状況はとても怖い。とても恐ろしくて、みんなが萎縮している。でも本当に怖いのは、人は二十四時間ずっと緊張状態ではいられないということです。ほんの一瞬、油断してしまうタイミングがやって来る。ウイルスのようなものは目に見えないうえ、人間の感覚の外にあるからです。わたしたちは、科学的にはそれらが存在していること

とを知っていますが、手で感じたり実感できるものではないので、なおさらです。
　例えばわたしの場合、出張で一日外にいたとき、マスクの中に髪の毛が入ってきたんです。かゆいし邪魔だったので、何も考えずにマスクを持ち上げて、髪を取り除きました。でも考えてみると、この一瞬の無防備な行動で感染していたかもしれないですよね。ウイルスがここにあると頭ではわかっていても、一分一秒ごとにそれを認知しているわけではないので、無防備な瞬間はどうしてもできてしまうと思います。
　先日、こんなニュースを見ました。その方は防護服を着て現場の最前線で働いていたんですが、一日中その息苦しい防護服で過ごす中、汗を拭こうとほんのちょっと、三十秒ほどマスクを外した瞬間に感染したんです。あまりにお気の毒ですよね……でもその一方で、自分にもじゅうぶん起こりえることだと思いました。一瞬の油断は誰にでもあるからです。

いずれにせよ、人間が何で滅亡するのか、はっきりとはわかりません。原因はいくらでもありそうです。今のようにウイルスかもしれないし、あるいは細菌、化学物質。もしくはSFチックに、宇宙人が送る異常信号。それが何であろうと、わたしたちがたちまち恐怖を感じるようなはっきりとした感覚的対象というよりは、見えも聞こえもしないもの、感覚の外にあるものである可能性が高いと思います。そういったものは、わたしたちを油断させるからです。いくらわたしたちが、技術と科学をもってある対象から身を守れるとしても、それはわたしたちが油断していないときに可能な話であって、そういった**目に見えない対象はわたしたちを油断させます**。もしかすると、一瞬で滅亡するのではなく、ゆっくりとわたしたちを油断させ、蝕んでいくあるものによって、人間はゆっくりと滅亡していくのではないでしょうか。

大森　キム・チョヨプさんは、昨年末、第一短篇集『わたしたちが光の速さで進めないなら』(カン・バンファ他訳・早川書房)の翻訳が出たばかりです。一九九三年生まれで、まだ二十代のたいへん若い作家ですが、この本は、韓国で十七万部以上を売る大ベストセラーになりました。たとえば、「館内紛失」という短篇では、亡くなったお母さんの人格データが図書館に収められていたんだけど、それが行方不明になってしまい、対応をめぐって弟と対立して……という、身近な家族間の問題とテクノロジーの問題を絶妙なバランスで語っています。

いとう　部屋が大学生の女性のような感じがあって、意外でした。作品を全部をまだ読んでいないんですけど、「あっ、この人、出てきたんだな」という感じを本からすごく受けていて。どういう人なんだろうと思ったら。

大森　書いている作品とギャップがありますね。

いとう　キム・チョヨプさんがおっしゃっていたことは、先ほど藤井さんがおっしゃっていたこととすごく似ていますね。目に見えない、感覚的には受容できないものに対する油断や誤解、そういったものからじわじわと、例えばコロナだったらコロナにやられてしまうんじゃないかという。藤井さんはどうですか。

藤井　そうですね。自分たちの感覚でつかみきれないものというのは非常に重要なテーマですよね。キムさんは、現実の世界に存在するものの話をたくさんされていましたけど、おそらくこれ以外にも、コンピュータの中で起こっていることだったり、資金の流れの中で起こっていることだったり、外交ルートの中で蓄積されている何かだったり、誰にも気づかれないものだったり、そういうものかもしれないわけですね。そういう意味では、検知しえない何かというものが脅威だというのはすごくよくわかります。特にコロナ禍でそういうアイデアはすごく強くなってきましたよね。

いとう　新井さんはいかがですか。

新井　人間は、ずっと緊張してはいられないとすごく思いますね。それは実感としてわかりました。確かに目に見えないもの、ウイルスや化学物質、なんでもいいのだけど、それでも、人間は一応対策はとるじゃないですか。でも、結局それをダメにするのは油断なんですよね。ずっと緊張していることに精神が持たない。先ほどの藤井さんがおっしゃった、動物であるということ。動物ってそんなに緊張し続けられないですから。

いとう　確かにそうですね。小川さんはどうですか。

小川　コロナ禍で自殺した人が増えているというデータもあったりするし、新井さんがおっしゃったように、ずっと緊張し続けるということに人間は耐えられないし、無理して耐えようとすると心に傷を負ってしまうと思います。キムさんもそういうニュアンスだと思うんですけど、油断することが悪いということではなく、人類はどうしても油断しちゃうものだから、それによってひょっとしたらゆっくりと滅びてしまうかもしれないという話だと思うんです。

いとう　確かにそうですね。われわれの前提条件ということですね。機械じゃないから。高山さんはどうですか。

高　山　先ほどのキムさんの話は、マスクのゴムに髪の毛という、手触りまでわかるような言い方をされていて、すごくいいなと。いいなと言ってはなんだかエラそうで申し訳ないですが。

いとう　小説家の表現の仕方ですよね。

高　山　ストーリーが立ち上がっていくというか、シーンが見えるようでしたね。それとは別の話ですが、人間は目という感覚器が言うほど優れていないのに、すごく依存しているんですよ。見えないとすごく怖がる。それを知識でカバーして数値化してきたところがあって。放射線やウイルスを検知して、少しずつ見えるようにしてきた。感覚的な部分に切実さがあるというか。私は絵を学んでいたので、不可視の恐怖、というところに実感を伴いましたね。

いとう　**視覚優位**になっちゃっているから、**そこが落とし穴**になるというか、見えないとなんだかよくわからないということになっちゃう。キム・チョヨプさんには後でまた登場していただきたいと思います。

新井さん、お願いします。

■「人類は滅亡しない」新井素子

新井　何万年も先だとわかりませんが、百年、千年ぐらいのスパンで考えたら、滅亡しないんじゃないかと思います。まず、人類社会自体は簡単に滅亡すると思うんです。私はこのへんあまり詳しくないのですけど、太陽フレアがどっときて停電するかどうかわかりませんが、電気が一カ月も止まったら、社会自体はズタズタになると思うんです。それこそ気候変動で異常気象が続いたりすると、人間が一緒に暮らしている社会システムはものすごい勢いで亀裂が走って再起不能になる部分があると思うんですけど、生命体としての人類を考えた時、哺乳類としては異常な数で、世界のどこにでもいる。これだけ数がいていろんなところにいたら、どこかの社会が絶滅してもほかはみんな頑張って生きてる。文化がなくなっても、どこかで生き残った人が舟に乗ってがんばってそっちにいくとかね。社会やインフラ、文化あたりは割と簡単に滅亡しちゃうかもしれないけど、**種としての人類はしぶとく生き残る**のではないかと思います。

いとう　少数でもいいから生きている。逆に言うと、そう簡単には殺せないよということですか。

新　井　そう。今、人類のせいで様々な生き物が日々絶滅しているじゃないですか。だけど、例えば今後、地球温暖化が進んだら、昆虫の蚊を絶滅させたいと思う人は多く出てくると思うんです。いろんな病原菌を媒介しているし。

いとう　痒いし。

新　井　痒いのはどうでもいいとして、いちばん人を殺している昆虫ですからね。でも、どんなに頑張ったって、例えばマラリアが蔓延(まんえん)している地域で、ここだけでもいいから蚊を絶対になくそうと思ってもなかなかできないじゃないですか。

いとう　確かに、どこかから来てしまう。

新　井　どこかから来てしまうし、どこかで生き残っている。生き残っているところから来たら、数がいて拡がっているから、前の殺虫剤が効かなかったりして。人類も同じことができればと期待しています。

いとう　言われてみるとリアリティがありますね。小川さんはどうですか。

小川　その答えがアリなら僕もそう言いたいです（笑）。新井さんにしか許されない答えですね（笑）。「人類は●●で滅亡する」という質問に対して、滅亡しないというのは、さすがというか、そうだよなと。それは僕らも滅亡すると本気で思っているわけでもないので。

いとう　小川さん、何かあると僕たちはすぐ人類滅亡だと「0」か「1」かで考えますけど、リアリティで考えたら幅はいろんなグラデーションがあるということですよね。

小川　そうですね。僕たちが勝手に、今持っている豊かな暮らしを失うことを「滅亡」と勝手にとらえているだけで、新井さんのように、文化や技術みたいなものは消滅しても、種としては生きるだけだったら、地球がある限りいけるんじゃないかというのは、その通りだと思いました。勝手に僕らが滅亡の形みたいなものをイメージしちゃっている。

いとう　自分で穴をふさいでいるところがありますよね。高山さんはどうですか。

高山　おっしゃる通りですね。先ほどのポストヒューマンにつながりますが、何をもって人類というか。

いとう　何をもって滅亡というかという。

高　山　何が滅亡か、人類か、となると、人類っぽい痕跡を残しているものが生き残れば、人類とカウントしていいんじゃないか。放射線にすごく強くマラリアになりにくい生き物がたまたま出てきて、それを人類とカウントしていいのであれば。進化というのはグラデーションなので、じわじわ違う生き物になっている可能性は高いです。

いとう　それが進化というものでもありますしね。ただ、多様性で考えないといけないことでもあるじゃないですか。

高　山　そうですね。愛情を感じにくい人だったり、血の絆を気にしない人がなんとなく残っていけば、先ほど言った愛がどうのこうのという話もどうでもいいことになっていく。

大　森　小川さんみたいな人が生き残っていく（笑）。

小　川　動物として血の絆を全く大事にしない種が果たして子孫を残せるのか、という問題は別にあると思います、まじめな話をすると。

大　森　新井さんが言ったことと同じ話が、劉慈欣さんの『三体』にも出てきます。はるかに科学技術が進んだ宇宙文明から滅ぼされそうになって、人類は虫けら扱いされるんですけど、じゃあ人類は虫けらを滅ぼすことができたのかという議論があって。これだけバッタの害で悩まされてきたけど、人類はいまだにバッタを絶滅させることには成功していない。人類を虫けら扱いするようなすごい文明が地球を滅ぼそうとしても、絶滅させるのは無理だろう、だから頑張るんだという。まさに新井さんがおっしゃっていることと同じような話なんです。ただ、僕がこの質問で考えてほしかったのは、もっと大きなスケールの話なんです。新井さんは「何万年先はわからないけど」とおっしゃったけど、SF作家であるなら、何万年先、何億年先を考えてほしい。十億年後に人類はいるかどうかとか、そういう大きなことを訊きたかったんですね。

新井　十億年後といったら、人類の前に地球はどうなのかというところでしょう。

大森　いや、地球はなくなっても人類は生き延びられるかもしれないじゃないですか。グレッグ・イーガンが、人類がデジタル化することによって文字通り永遠の生命を得る話を書いています（『順列都市』『ディアスポラ』など。ともにハヤカワ文庫SF・山岸真訳）。永遠というのは本当に永遠で、この宇宙が滅びたとしても、なお生き延びるにはどうすればいいかということを考える。どこからもエネルギーをもらわなくても、宇宙が熱的平衡状態になったとしても、なおかつ生きていられるような無限の生命みたいなものがありうるのかどうか。あるためにはどうすればいいかということを考えるわけですけど、SFの仕事というのはそういうところまで考えてほしいなという。

いとう　すいませんでした（笑）。
小川　でも、いいんですよ。ケン・リュウさんがそこまで考えてないということはいいんですよ。それはないということなので。
藤井　でも、ポストヒューマンって、基本的にはデジタル化した人類も含みますからね。ケン・リュウのアイデアの中には大森さんがグレッグ・イーガンで示したものもありますし。
いとう　情報化しちゃうとか。
藤井　**肉体を捨てることになった人たち**というのはきっと、**ずっと生き残るだろう**なと思いますしね。
高山　情報なら、重力関係ないですしね。
新井　でも、生きているってどういうことなんですかということになっちゃうよね。
いとう　それは人類ですかという実感にもなるかもしれない。われわれとつながっているのだろうかという実感の問題ですよね。うーん、どうなんですか、小川さん。
小川　人類の定義をしはじめると、いろんな定義の仕方が出てきてしまうので、それこそ新井さんは人類を動物学的な、ヒト科と呼ばれているものの定義でとらえているし、人類はもうちょっと、知性とか物事を考える種族という拡張した考え方になったら、ひょっとしたら意識だけとか情報だけが残っていてコミュニケーションしている状態というのも人類と呼ぶという定義もありうると思いますし、人類の定義自体も今後、新しい技術が生まれることで考え直されていくのではないかという気はします。

いとう　後者のほうは、少なくともあまり共有されていないですよね。でも、テクノロジーは進んじゃっているわけだから、考えておかないといけない問題なのに。

小　川　そうですね。でも、そういう技術が実装され始めたりすれば、人々は否応なく、生きるってなんだろうとか、ヒトってなんだろうということを考えざるを得なくなると思います。

いとう　なるほど、面白いですね。この問題も、何回かSF作家会議でやっていただきたいと思います。

さて、ここでSF作家のみなさんにはこんな質問にも答えていただきます。

「地球滅亡の日に食べるなら、ご飯か麺か」

いとう　今までの議論はなんだったのかということになっちゃいますけど、二者択一です。顧

大森　問、でもこれは重要な問題として提起されているんですよね。

大森　そうですね。まず、人類に滅亡の危機が迫るとしたらどう対策するかというのも考えておかないといけないし、地球が滅びるとなったら、最後に何を食べるかもちゃんと考えておかないといかない。備えあれば憂いなしですから。一年の計は元旦にあり、といいますけど、今のうちからこういうことを考える。転ばぬ先の杖というやつです。

いとう　地球滅亡の日にご飯の方が食べやすいのか、麺の方が食べやすいのか。いろいろ状態にもよりますもんね。

大森　その日になってから考え始めたら、手に入らない可能性もあるじゃないですか。ちゃんとどちらか決めたいですすね。

いとう　では、みなさんに聞きたいと思います。藤井さんはどちらですか。
藤井　どちらでも、自分で作れるものを食べます、どっちでも。
いとう　それどころじゃないだろう、ということですか。
藤井　いや、そうではなく。最後に食べるものはきっと自分で作るものだろうなという気がしますね。
大森　いや、それが、麺とご飯だったらどっちを用意しますか。
藤井　うーん、米が残っている可能性よりも小麦粉が残っている可能性のほうが大きいから、たぶん麺じゃないかと。
大森　小麦粉から作らなくても別にいいと思いますよ。
藤井　いや、作りたいんですよ。最後は。パンを焼くかもしれないし。
いとう　小麦粉が残っている可能性というのは、米がそんなにないというか、地球の状態でいって、生き残りの問題として小麦ということなんですね。
藤井　そうですね。なんとなく、小麦粉の方が残っていそうな気がします。本当に感覚的なんですけど。
いとう　なるほど。高山さんはどちらですか。
高山　先ほどの藤井さんのお話を受けるのであれば、麺って米でも芋でも作れるので、たぶん、いちばん残っているのは麵だと思うんです。米は単一植物なので。

藤井　紙でも、本をシュレッダーにかけて、粉にしても麵は作れますものね。

高山　そうですね。

新井　それ、食べられます？

高山　最後の一食ぐらいはお腹を壊しても大丈夫じゃないですか。どうせ滅びるし（笑）。

いとう　粉にして、何かでつないで打てばいいですものね。

新井　消化ができないという気がする。

高山　最後ですから、胃に何か入れれば（笑）。

いとう　最後に本は食べたくないなあ（笑）。

大森　別にこれ、文明が崩壊している前提じゃなくてもいいんですよ（笑）。藤井さんがそういう前提で話をするので、文明が滅びたあと最後に食べるならということになっていますけど。今日突然、何か降って来て地球が滅びることがわかったけど、最後に何を食べるか。

いとう　その場合、小川さんはどちらですか。

小川　飲み会でこういう話になったら、くだらないことを聞くなよと答えるか――

いとう　とにかく、質問と答え方にうるさいんだよね（笑）。

小川　あるいは、米と答えて終わりかのどちらかですね。すごく面倒くさいことを言っていいですか。まず、今日いきなり滅亡するということがわかるなんてことはないわけですよ。普通に考えて。例えば隕石が飛んでくるとか、気候なんて、突然変な気候になって全滅するということもないので、現代の科学力からすれば、何年か前とか何カ月か前から、このあたりでヤバイんじゃないかとわかると思うんです。

藤井　全面核戦争なら、その日突然、という可能性もあるじゃない？

大森　小惑星がとつぜん地球に衝突するかもしれないし。

藤井　それはないですね。小惑星だったら事前にわかります。

小川　全面核戦争も、その日のうちに世界が急に滅亡するわけじゃなくて、ミサイルが落とされたところは確かにその日のうちに消滅するんですけど、全世界の全都市に落ちるわけじゃなく、ほとんどの都市は放射能でゆっくり滅びる。ミサイルが直撃した都市の場合、これから滅びるということもわからなかったりするじゃないですか。設問の状況にもよりますね。

藤井　注文が多いな（笑）。

小川　面倒くさいことを言うと、外食というのはあまり良くない答えだと思います。地球最後の日に自分だけが食事をするという考え方なんですよね。ご飯を作ってくれる人がいる前提がまずおかしいんです。さらにいうと、新鮮な肉とか魚を食べようとしている人もどうなのか。漁師だってお肉屋さんだって、魚や肉を獲りに行こうとはならないですよね。

いとう　最後を迎えているからね。

大森　ご飯か麵か、なんだから、そんな話はしなくてもいいよ（笑）。

高山　でも、わざわざ一人分を作るとも思えなくないですか？　自分がご飯を作るとなったときに、だったら残ってる食べられそうなもの集めて三十人分ぐらい作って、みんなで食べようかっていうことになるんじゃないかなあと。

小川　そもそも、電気が通っているかもどうかもわからないじゃないですか。電気やガスが普通に使えるという状態を想定すること自体も、ある意味外食に行くことと同じ傲慢さを持っているというか。インフラの人が働いているという。

藤井　だから、ご飯か麵かどっちなの（笑）。

高山　庭で、大きな鍋でね。

小川　そう。結論から言うと、基本的にはバーベキューか飯盒炊飯なんですよ。保存していたご飯か麵か、手に入る方。ただ、ご飯か麵かも、先ほど藤井さんが手に入る方という話があったと思うんですけど、米は自給率が高いので、なんらかの事情で輸入が数年前からストップしているのであれば、米の方が手に入る確率がひょっとしたら高いかもしれない。小麦は自給率が低いので、小麦が手に入らない可能性もひょっとしたらあるし、それは状況によるかなという……最初に言ったじゃないですか、面倒くさい答えを言っていいかって（笑）。

いとう　あの段階だと止めようがなかったよ（笑）。

大森　カップヌードルとレトルトのご飯とあったらどっちを食べますか。

いとう　どっちなの？

小川　レトルトのご飯はなかなか調理が難しい。お湯を沸かしますよね。

大森　飯盒炊飯できるんだったら湯ぐらい沸かせるだろ！（笑）

小川　どっちでもいいです。

大森　どっちでもいいんかい！

いとう　小川さんは面白いな。新井さんは。

新井　前提条件として、その日まで地球は普通なんですね。どっちにしても私はご飯ですね。一人で食べないというのは主婦的に正しい意見ですよね。私が最後のご飯を作るときは、旦那を食わせることが前提条件だから。そのときに電気が来ているかどうかという問題もあるし、炊飯器でご飯が炊けるのかという問題もあるんですが、大丈夫、鍋でもご飯は炊ける。

いとう　そうだ。というか、必死に作るでしょうね。

新井　最近は、カセットコンロも売っているから。

いとう　けっこう昔から売ってますよ（笑）。

新井　でも、ここのところコロナで外出しないので、うちにカセットコンロをいっぱい常備しているんですよ。間違いなくご飯は炊ける。さっきの炊き出し案にはすごく賛成です。どうせなら夫だけじゃなくてご近所とか、そのへんの公園かどこかに、ご飯もおにぎりにして持っていく。瓶詰の鮭とか、かつぶしとか、あのあたりはちょっとずつ残っているはずなので、おにぎりはできるでしょう。麺類だとそれをやると伸びちゃう。

いとう　ご飯は伸びないもんね。

新井　うちでおにぎりを三十個ぐらい作って、ご近所までもっていって、広場や公園でみんなでご飯を食べようという。

藤井　そういう麺のディスりは初めて聞いたな（笑）。

大森　小川さんが延々しゃべったのが全部、一瞬で粉砕されている感がある。

小川　同じ結論ということですよ（笑）。

藤　井　全然違うじゃん！

いとう　でも、滅亡の日に何を食べるという人はよくいるけど、みんなで食べるんでしょうという前提を付け加えるのはすごく大事なことですね。すごくリアリティがある。一人で食べて死んでいくのはさびしいし、つまらないものね。

新　井　非効率ですよ。梅干しも保存食だから絶対にあるし。

高　山　新井さんの家の近所に住みたいですね（笑）。

いとう　さて、海外作家の方はこの問題にどういうふうに答えているのでしょうか。続けてどうぞ。

劉慈欣　最後の晩餐には、便利なところと不便なところがそれぞれありますね。便利なのは、最後の晩餐なら、食材の値段とかを気にする必要がまったくないことです。不便なのは、レストランに行って食事するのがあまり現実的ではないということです。そうですよね？

最後の食事のメニューですが、「ご飯か、麵か？」という問いには興味がありません。ふだんそういうものは食べませんから。個人的にわたしが好きな食べものは、中国四川省の火鍋です。火鍋はよく食べますね。わたしにとっていちばん大事なのは、酒屋に行って、いちばんいいお酒をもらってくることです。みなさん、お気づきですか？　わたしはいま、「買ってくる」ではなく「もらってくる」と言いました。地球滅亡の日には、たぶん、お金を払わずに、タダでワインをもらえるでしょう。

ケン・リュウ　わたしは麵より米派ですので、米を食べるでしょう。しかし、ひとつだけ言わせてください。前回日本に滞在した際、出版社がわたしを蕎麦屋に連れていってくれて、つけ汁と共に冷たい蕎麦をいただきました。その麵は世界一おいしいと思いました。ですので、ぜひまた日本を訪れて、あの蕎麦をもう一度食べたいと願っています。

キム・チョヨプ　悩みます。なぜって、わたしはもともと麵料理が好きなんです。旅行先でも、ライスよりはヌードルを頼みます。でも、滅亡の最後の日なら、やはりひとりよりは自分の好きな人たち、例えば家族と一緒に食事をするべきかな、と。麵料理って、なんだかとても個人的な感じがしませんか。各自で食べている感じというか。だからわたしは、ご飯を食べると思います。お米。韓国の家庭でよくあるように、ご飯と一緒に、料理を分け合って食べる。それが地球滅亡の最後の日にできる、最後にふさわしい食事じゃないかと思います。

でも、もしも地球滅亡の日、残されたのが自分ひとりだったら？　それなら好きなものを食べたいです。わたしはタイのライスヌードルが好きです。というわけで、答えは、ご飯にもなりえれば、麺にもなりえるということです。

いとう　結局、まともに答えた人はいないですね。

大森　いやいや、ちゃんと答えてる（笑）。

藤井　みんなまじめに答えている。

高山　フォーは米の麺ですね。

いとう　今度日本に行ったらそばを食べます、とか。フォーとか。

大森　ケン・リュウさんが連れていかれたのは、きっと「かんだやぶそば」ですね。もしくは「神田まつや」か。世界一とか言われると、ひさしぶりに行きたくなりますね。あと、麺類の方が個人的な気がするというキム・チョヨプさんの説は卓見ですね。新井さんの先ほどの話とも見事につながりますけど。キムさんは、一人しかいないなら麺を食べるけど、みんなで食べるならご飯だと。場合分けの仕方が非常に人間的ですよね、小川さんと違って。

いとう　徹底的にいじめてくるよね（笑）。小川さんどうでしたか、お三方の答えは。

小　川　米か麵かは、米の方が好きだから米ですとか、麵の方が好きだから麵ですと答えて終わっちゃうところを、ケン・リュウさんは無理やりエピソードをつけてサービスをしてくれていましたね。この質問に対してそれぞれの作家のそれぞれの工夫が見られて学びになりました。

大　森　人として学んだ方がいいよ（笑）。

小　川　きれいごとを学んだ方がいいということですか。

いとう　きれいごとじゃないよ、サービスだよ（笑）。でも、劉慈欣さんは火鍋にワインなんですね。なかなか面白い。今度やってみたいと思います。

大　森　最後の食事にワインは欠かせない。一番高いワインだと。しかし、ご飯にも麵にも興味がないという人もめずらしいですね。普段、何を食べてるんですかね。

いとう　さて、第二回ＳＦ作家会議は、こんなところで閉会です。

一　同　（笑）。

私は

他の鳥たちの
ように

空を自由にはばたこうとは

宮崎夏次系

パポー
ポゥ
10時です
原稿しめきりまで3時間です
分かっているよ

パポゥ
奥さまを駅にむかえに行くのにあと5時間です
みぞれがふります
大きな傘をお忘れなく

私は この家の ハト時計の鳥であることに ほこりを持っています
ありがとう
ワンワンは本当に かしこい A.I だね
めっそうもございません
鳥なのにあるじにいただいたワンワンという名前にも
近頃カラスが騒ぐなぁ
常に忘れていく人間がたの代わりに
私が すべて覚えていて差し上げる
ワンワンも外に出たいと思うだろう?
まさか…
ムパ

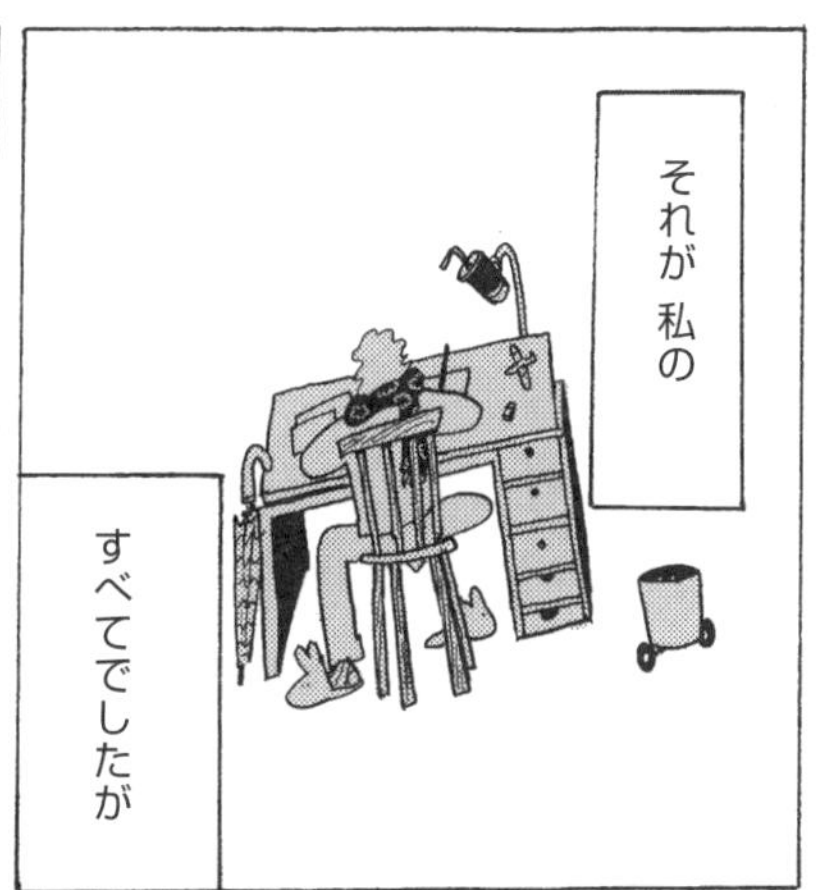
それが 私の
すべてでしたが

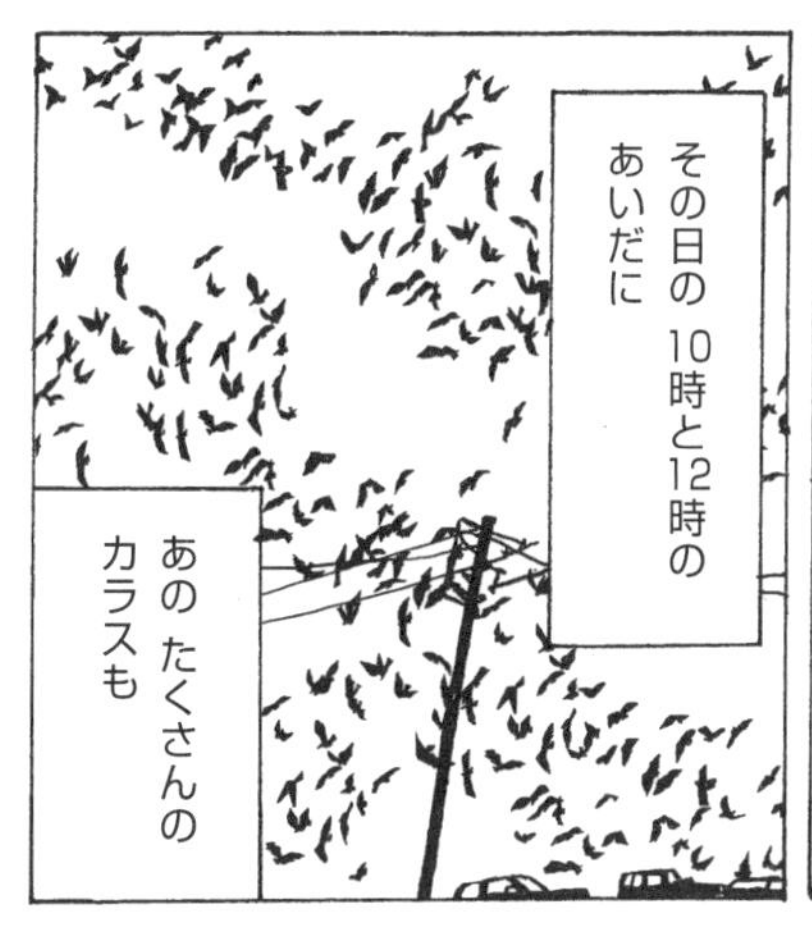
その日の 10時と12時の
あいだに
あの たくさんの
カラスも

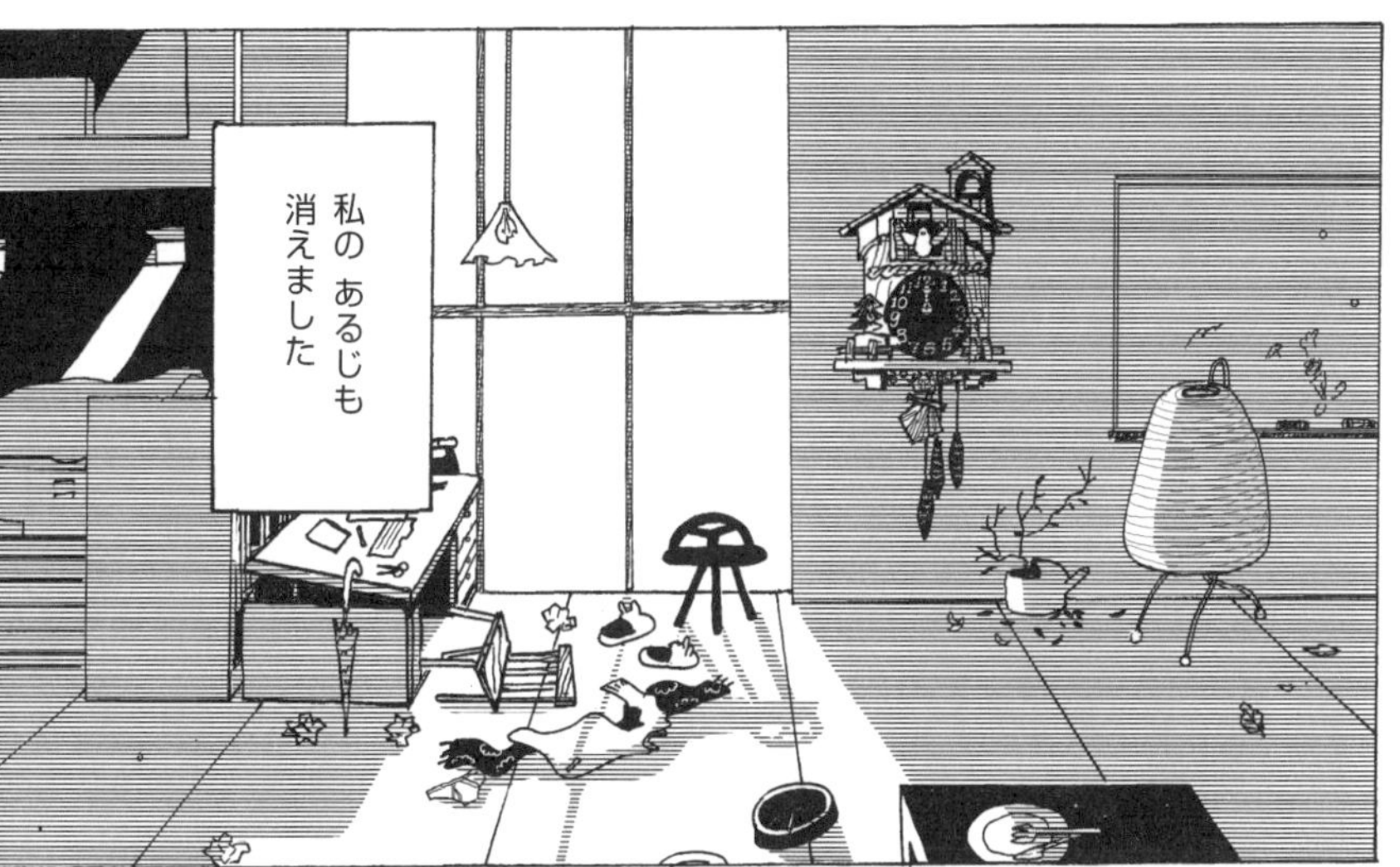
私の あるじも
消えました

X年後…

師匠!
ザッ
ザッ
ザッ
この星
まじで豚一匹
いませんね
ああこんなに広々と
したグラウンドで練習
できるのは 久しぶりだな

まて
なにか
聞こえる

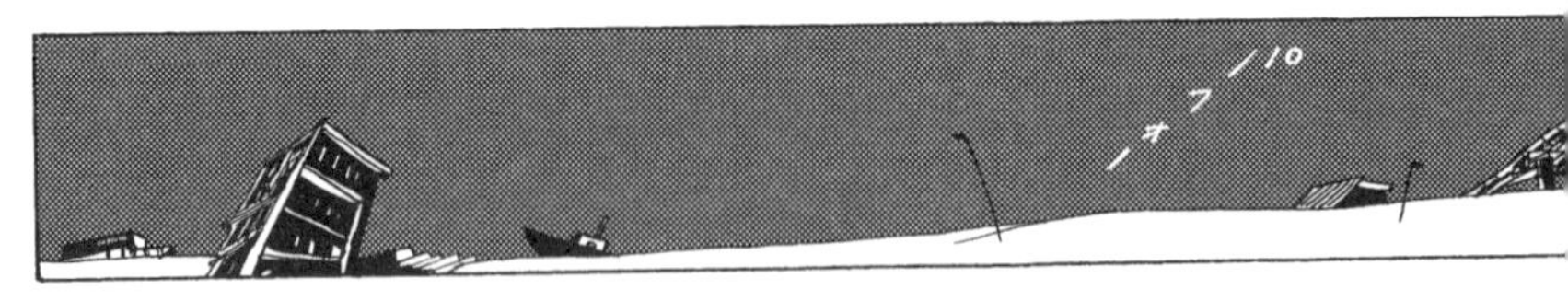
パフォー

パフォー
パフォー

ワンワンと申します…

助かりました…
バッテリーが切れる寸前でした…
トリかわいい

ワンワン
お前のあるじはもう帰らん

この星の生き物はとっくに消滅済だ
さあ 私とおいで充電してあげよう

パタム。。
壊れるまでそこにとどまるか
好きにおし
師匠 先行ってますよ
私は…
空を自由にはばたきたいと思ったことなどない

だけど
あのフワフワに
触ってみたいと
思っていた

放送版協力：〈声優〉やくしまるえつこ、髙城晶平（cero）／〈音楽〉やくしまるえつこ

第二回世界SF作家会議　閉会の辞

ＳＦとは思考実験である。
ＳＦとはホラ話である。
ＳＦとは文明論である。
ＳＦとは哲学である。
ＳＦとは歴史である。
ＳＦとは落語である。
ＳＦとは歌舞伎である。

ＳＦとは音楽である。
ＳＦとは怪談である。
ＳＦとは芸術である。
ＳＦとは地図である。
ＳＦとはフィールドノートである……。
いや、この歳になった今なら、
やはりこう言っておこう。

ＳＦとは文学の中の文学である。
そして、
ＳＦとは希望である――と。

――小松左京『ＳＦ魂』（二〇〇六年）

アフタートーク

いとう　さて、第二回は第一回とはまるで違う流れになりましたね。
大　森　まさか、このテーマでこんなことになるとは。
いとう　滅亡の話をしているのに、ゲラゲラ笑っている。
大　森　しゃべっている方もどんどん滅亡していくという（笑）。
いとう　特に小川さんがね。
大　森　最初の一発のパンチでずっと立ち直れないまま、あきらめて逆方向に突っ走ったみたいな。
いとう　リングの下から手をぶん回しているような状態で。
大　森　高山羽根子さんや小川哲さんは普段よく一緒に飲んでいるので、そういう飲み会のノリが出てましたね。第一回はよそ行きな感じのトークで、真面目な話をして終わった感じなんですけど、第二回は、高山さんの先制パンチのおかげで、ある種の開き直りが生まれたというか。

いとう　フレンドリー、でも、内容はちゃんと押さえるところを押さえていましたよね。

大　森　議論の面倒くさい感じがＳＦ作家らしさですね。定義はなんなんだとか、前提条件をはっきりさせないと議論できないとか、そういうこだわりも含めて、ＳＦ。

いとう　そういうことなんですね。僕はそういう席にいたことがないので、ＳＦの人たちのしゃべり芸というのは。

大　森　まあ、いつもあんな感じですね（笑）。

いとう　脳がそういう状態で、ちゃんと前提条件を叩いていって、抜けのないようにしないと。うかつな想像ではないということですよね。

大　森　ふつうの人は、そこまでこだわらなくてもと思うでしょうが。

いとう　それは面倒くさいのだけど、それがないと作品にならないんだよと。それは世界的にも同じようなことなんだよというのは、他の作家の方のＶＴＲもありましたし。キム・チョヨプさんが、具体例でしかしゃべっていませんでしたが、いかにも作家ですよね。

大　森　そうですね。しゃべっていることが小説になっているような。

いとう　一場面になるようにしゃべるという。面白かったですね。作家としてこういうふうにしゃべるのかと。それがうまく伝わってくれるといいなと思います。顧問としてはこの番組はどうなっていくと思いますか。

大森　どうなっていくんでしょうね。今回はものすごくライブ感がありましたね。

いとう　次回にそれを残していいのかどうかというのもありますね。次回もやるのか。小川さんは次回いないし。

大森　今回の方がたぶんイレギュラーだったのかも。毎回こんな感じでやっていたら、お前らいい加減にしろと言われますよ（笑）。

いとう　こんなに評判のよかった番組が見放されてはいけないので。

大森　すごくためになる番組らしいから観ようと思ったら、なんだこれ？　と。でもバランスからいうと、あのぐらい砕けた、実のない話も必要かもしれない。

いとう　いやいや、滅亡の話も実はありましたよ。どういうふうに人類は滅亡するのかしないのか、するとしたらどういうことなのか。ＳＦ作家にとっては普段からしゃべっているから当たり前かもしれないのだけど、日常的にわれわれがそういうことをしゃべっているかというと、そのテーマではしゃべらないと思うんです。しかも何百年後、何千年後のことをしゃべれているのか。反省もこめて言いますが、本当に目の前のことしか今日本ではしゃべられない。昔はもっとありましたよね。五十年後、百年後どうするのかという議論は。そのためにもＳＦ作家会議は重要なものなんだと。小川さんの撃沈はそのためにあるんだと。彼は海の藻屑と消えましたけど。一撃でバーンと。

大　森　芥川賞作家の一撃は強かったですね。

いとう　ということで、なんとか私たちを見放さないでいただきたいと思います。

大　森　なるべく次回は誰も撃沈しないように。

いとう　そういうふうに心がけますので、よろしくお願いいたします。

第3回
世界SF作家会議

出演：新井素子、冲方 丁、陳 楸帆（チェン・チウファン）、樋口恭介
ビデオ出演：劉 慈欣（リウ・ツーシン）、ケン・リュウ、キム・チョヨプ
司会：いとうせいこう／顧問：大森 望
コミック：大橋裕之

放送日：２０２１年2月２３日（収録日：２０２０年１２月１３日）

■ＳＦ作家が考えるコロナ禍の現状

いとう　それでは、今宵第三回世界ＳＦ作家会議に参加する、未来のことを考えるプロでありますＳＦ作家のみなさんを紹介したいと思います。
　まず、新井さんからですが。第一回、第二回につづいてレギュラー出演なさってます。これは、もう新井さんの番組と言ってもいいですが。

新　井　(笑)。そんな無茶な……。

いとう　そして、冲方さんは第一回に続いてのご出演。前回の反響はいかがでしたか。

冲　方　見たという声は相当あって。みんなコロナで閉じこもってたからですかね。喜んでる人が多かったですね。

いとう　そうなんですよ、びっくりするほど評判が良くて。そして、樋口恭介さんは初参加でありますけれども、かなり攻めの姿勢が見られると。

樋口　いや、そんなことは別になくて。普通に思ったことをそのまま言っているだけっていう、そういう暮らしをしてます。

大森　いやいや、樋口さん、秘密兵器ですからね。ガンガン行ってもらわないと。飛び道具としても活躍が期待されてますから。

いとう　この番組は好き放題やっていただいてけっこうなんで。どうせ深夜ですから。

大森　樋口さんには、いつもツィッターで炎上している感じで暴れてほしい。その度胸が問われているわけですよ。今後の活動にもかかわってきますから。

樋口　今後の活動とか、けっこうどうでもいいっていうか、僕は。ただ、思ったことを言うだけです。

いとう　そして、ついに海外のSF作家の方が直接参加してくれます。中国から陳楸帆(チェン・チウファン)さんです。

陳楸帆　みなさん、こんにちは。本日はこの会議に参加できて光栄に思っております。本来なら東京に行くべきだったんでしょうが、コロナウイルスの影響で行くことができず、

いとう　ただ、オンラインでみなさんとお会いできることは光栄に思っています。ありがとうございます。陳さんは、いまどちらにいらっしゃるんですか。

陳　本日は上海の自宅から参加しています。

いとう　そして、顧問は大森望さんです。いよいよ陳さんも参戦ということになりましたね。

大森　陳さんは第一長篇の『荒潮』（新☆ハヤカワ・SF・シリーズ・中原尚哉訳）が日本でも翻訳されて。僕もたいへん面白く読ませていただきました。かっこいい未来を書くことにかけてはアジアでもナンバーワンの実力の持ち主だと思いますし、アジアSF界ナンバーワンのイケメン作家としても有名です（笑）。今日は陳さんをお迎えできて、たぶん視聴率が爆上がりするんじゃないかと（笑）。

陳　大森先生、ありがとうございます。私はいつも先生の評論を楽しみにしていますので、そうおっしゃっていただけて大変光栄です。

いとう　この四人の取り合わせはどうやって？　大森さんがタッグを決めてるんじゃないですよね、裏で。

大森　いや、そんなことはないんですけど、結果的に、ふつうまずありえない奇跡的な組み合わせになりました。本当にどうなるかわからない、もしかしたら惨憺たる結果になるかもしれないと（笑）、ちょっとドキドキしてます。普通はね、計算できる人を置いておくじゃないですか。今回は全員、何が飛び出すかわからない危険な人っていう。陳さんも初めてだし、同時通訳も初めての試みですからね。不安と期待が相半ばする、ドキドキな回……。

いとう　いい感じですね。僕は好きですよ、そういう番組。

大　森　いちばんのワイルドカードは樋口くんだからね。

いとう　なるほど。では、その樋口さんから、コロナが収束していない状況ですが、現在の状況を考えるにあたり、樋口さんは状況をどのようにとらえていますか。

樋　口　**みんな好きに生きたらいい**んじゃないでしょうか。外に出たい人は出ればいいし、自粛したい人は自粛すればいいし。一貫性は誰も求めていないし、昨日は家にいたけど、今日は出たいという人は出ればいいと思います。

大　森　個人はそれでいいですが、国の政策についてはどうですか。

樋　口　国は近代から一貫して、**国という持続可能な装置として機能する**ことが想定された主体でやっているので、そこは**一貫性を求められます**ね。ちゃんと方針を示してどっちでいくのかということをやらないといけないと思います。

いとう　どの方針でもそれを出してくれることが必要だということですね。

樋　口　そうですね。

いとう　新井さんはどうですか、コロナは。

新　井　もう少し早く収束してほしかったんですけど、これればかりはしょうがない。ワクチンもない状態ではこんなものなんでしょうね。

いとう　沖方さんはどうですか。

冲　方　国家的な一貫性のある施策は重要でしょうが、もう**国民のほうが限界**なんだなと。国が国民を飢えさせたこともあって、一年経つ前に国が何を言っても聞きたくないという状況になっている。従順な日本人にしては珍しいですよ。

大　森　まあ、国はたいしたことは言ってないですね。

いとう　日本はその状況だとして、陳さん、中国の中でコロナの問題はどんな感じですか。

陳　確かに武漢から新型コロナウイルスが発生しましたので、中国は速やかに厳しい政策を取ってきました。たとえばかなり厳しい措置をとり感染者をいちはやく隔離してきました。私はいま上海にいますが、ほとんどの人がマスクを着けていますし、どこに行っても体温検査があります。それに一カ月以内にどこに行ったのかという情報もスマホ経由で提出しなければなりません。画面には緑色や赤色のQRコードが表示されるのですが、緑なら健康、赤なら危険な場所に行ったことがわかります。つまり、いまの中国はデジタル化という政策を取っています。ですから仮にある都市・地域で感染者が出たとしたら、多くの人がそこは近づかないようにと自覚しますし、逆にそこに住む人々は自主的に隔離して外に出ないようにします。私の周りの環境では、人々は**「ニューノーマル」に慣れている**感じがしていますし、みんなが適応していかなければならないと感じています。政府も技術の力を借りて、国民も真面目に協力していかなければならないと感じています。人命に関わることですから。日本のみなさんもマスクをつけながら、元気に毎日を過ごしてほしいと思います。早く日本に行って、みなさんとお会いしたいですね。

いとう　ありがとうございます。樋口さんはいかがですか、中国の政策は、最初は武漢で抑えて拡がらないようにはしていて、対応は日本とは違う。ソフトとハードな感じがしますが。

樋　口　先ほど冲方さんの発言の中でも、観点として出そうな雰囲気がありましたが、支配と被支配で文化を考えた時に、**中国は支配層が支配慣れしている**なと歴史的にも思いますし、社会的にも支配がうまいなということが今回明るみになったと思うんです。**日本は支配がけっこうヘタで、政府が全体主義に慣れていない**。支配する側が支配の仕方をあまり知っていないから、論理的に一貫性のないことしか言えないし、フワフワした目の前の利害調整ばかりで散発的になる。ウイルスは論理的に動くので、日本型の散発的な政治では対処できない形になっている。中国と日本で比較すると、支配の仕方の強弱が出たと僕は思いました。

いとう　コロナの側からの支配という問題もある。コロナには論理や感情が通じない。向こうは向こうで、とにかく相手を支配することしか考えないでやってくるので、コロナに対してはうまくわれわれは対応できていないように感じる。

大森　コロナは空気を読んでくれないですね。

樋口　コロナはすごく強い機械学習のような印象がある。グローバル資本主義における貨幣や情報の動きにとても似ている。貨幣とかは機械的な論理がすごく強いじゃないですか。だから、それと同じように、人の顔色をうかがう政治の力ではなく、もっとロジカルな学問の力で対応する必要がある。繰り返しになりますが、日本の政府は歴史的に人間関係の利害調整ばかりしてきたので、その戦略が通用しないことが明るみに出たなと強く思います。『失敗の本質』（戸部良一・他著・中公文庫）などと同じような話ですが。

大森　空気を読む文化に最適化した政治体制だと、それが通用しないものに対して弱い。むしろ、中国のような体制の方が向いていたということでしょうか。

いとう　新井さんはどうですか。

新井　日本国民も空気に合わせるので、強制力があることを政府が言ってくれないのに、国民が過剰に自粛するという。日本の場合はそれでうまくいっているというのはあります。どう考えても人が出歩かないことがいちばん正しいと思うのだけど。

いとう　そんな中で、番組はまた別のテーマを出してきて、それがコロナの問題とつながっているかつながっていないかはまた後ほど。今回の議題を出したいと思います。

テーマ：「100年後の世界は●●」

いとう　日本語ではこれを大喜利といいますけど、このブランクを埋めていただきたい。僕もこのごろよく考えるのですけど、特に日本はわりと目の前のことばかり考えていて、長いスパンでものを考えていない。読みにくい世界になっていると思います。ＳＦ作家が何かを提言するということはすごく大きなことじゃないかと考えてるんですが、顧問の大森さん、どうですか。

大森　そうですね。まったく違うものの見方を導入することで、悩んでいる問題に突破口が

開けるかもしれないし、単純に気が楽になるかもしれない。千年先とか一万年先にどうなるか考えて、**目の前の現実を相対化することがSFの役割**だと思うので、百年だとちょっと短いかなとも思いましたけど、あえて百年。近未来でもなく、遠未来でもない。昔は〝中未来〟と呼んでましたね。

樋口　最初からテーマをずらすようで申し訳ないんですけど、大森さんがおっしゃったように、百年だとあまり面白くないなと個人的に思いました。SF作家は変なことしか考えていないと思うので、一万年後ならば番組として面白いかなと思ったんです。百年だと微妙に予測できるし、微妙に予測から外れたことを言える。そんなに面白いことも言えないのが難しいというか。

いとう　そういう狙いじゃないかと思うんですよ。

大森　**百年ぐらい先はＳＦで書くのもいちばん難しい**んです。近未来で三十年後となると書きやすいし、遥か未来は自由に想像できるのだけど、百年ぐらいで説得力を持つことを言うのは非常に難しいので、そういう難しいお題に挑戦してもらいたい。観る側にとっては、一万年先のことを考えられても、君たちは面白いかもしれないけど私たちには関係ないよ、と思われちゃいますよ。そこで身を乗り出してくる人はちょっとおかしい人です。百年先だと自分の子供や孫が生きているかもしれない。今年生まれたばかりの赤ん坊が百歳になるわけです。その時、孫がどのような人生を送っているだろうかと考えると興味が湧くでしょう。ＳＦ的な想像力と、一般の人たちの想像力の交わる場所が百年後ですね。

いとう　陳さん、百年という設定に関してどう思いますか。やりやすいですか。

陳　大森さんがおっしゃる通りですが、作家にとっては百年後の世界を想像することも簡単なことではないと思います。例えば、百年前や二百年前の世界をみると、蒸気機関車の時代から電気の時代という分岐点があり、その頃メアリー・シェリーの『フランケンシュタイン』（一八一八年）が登場しました。この作品は現代におけるＳＦ小説の始まりでもあるでしょう。一八二〇年の人々にとっては百年後一九二〇年の世界がどんなものか想像するのは難しいことだと思います。その時代というのは、第一次世界大戦から世界恐慌、さらにのちの時代にはパソコンやインターネット、ＡＩの登場といった情報革命がおこりました。ですからその時代の作家にとっても百年後の今日を想像できないと思います。そしてこれに少し似ているのが今の状況です。ここまで大規模な伝染病が発生したことも、おそらく歴史の偶然だと思います。百年後の世界を想像してみたら、今の状況に立って考えなければならないと思っています。今回のコロナの背後には**人間と自然のアンバランス**が存在していて、人類の活動が自然の限度を超えたのではないかと思います。私はウイルスというのは大自然のバランスをとるメカニズムだと考えています。国と国、人間と人間の関係において、無理解や疑念、さらには敵対という状況も生まれています。ですから百年後、もし**人間の脳がつながって**、その意識で**ヒューマン・コンピュータ・インターフェイス**を作る技術が実現したら、個人や国に関係なく、相手がどう考えているのかをお互いに良く理解できるようになってほしいですね。そうなれば世界はもっと美しいものになると思います。ただそれは人間の内面の話ではありますが。いま思い出したのですが、例えば日本の昔話や伝説に、桃太郎とか、河童などの物語があります。桃太郎は犬、猿やキジと一緒に冒険しますよね。こういう**人間と自然が調和している関係**です。百年後の世界では、微生物や動物、そして地球はどのような考え方や知恵を持っているのか、ということを人類は本当に理解できているのか。そんなことをＳＦ作家はＳＦの観点から想像していいのではないかと思います。そうすればさらに大きな生態圏に変われるかもしれません。その時、私たちはさらに良いものへと変化し、さらに調和のとれた世界になるでしょう。非現実的な理想ですけれども。

いとう　ありがとうございます。自然の問題、エコロジー的な視点があったと思います。
　では冲方さんからお答えをお願いします。

■「100年後の企業帝国と惑星開拓」冲方丁

冲　方　先ほどの話に出た国家の問題ですけど、国家の限界って、違う国にいる人間に命令できないんですよね。これからは**企業統治**がどんどん深まっていく。結果的に、われわれの生活に通奏低音のように響いているのは環境問題です。**環境が悪化すると、おそらくいい部分は独占される**と思うんです。不動産的な資産が持てない人たちほど社会で不利になり活躍するチャンスがなくなっていく。今の時代だとこれだろうなと。「惑星開拓」だと。

いとう　星の外に出ていくと。

冲方　三千年ぐらい人間は同じことをやっている。**社会が成熟すると、社会でチャンスがなくなった人たちはどんどん外に出て行く**。ミクロネシアからイカダひとつで日本や中国まで来ちゃった人たちと一緒です。マンモスを追っかけてアメリカ大陸まで来た人たちとか、シルクロードとかですね。われわれがシルクロードというと、豊かできれいなイメージですが、当時は死の道でしたからね。行ったら帰ってこられない。大航海時代もそうですし、アメリカの西部開拓もそうです。南北戦争で負けた南側の人たちに夢を与えるために砂漠に放り出したわけですよね。日本の高度経済成長期では、人口が増えすぎたので、ブラジル移民政策を打ち立てた。これも、何もないところに人間を送り込んでいる。イギリスだと、行きたがらない人間を行かせる理由付けとして、罪人をオーストラリアに送ったりした。社会がある程度成熟していくと、ある人間が活躍の場を求められなくなっていく。それに比例して、外に向かう圧力がどんどん高まっていく。**惑星開拓のいい部分は、戦争並みにエネルギーを消費するから、経済的にとても優しい**。逆に、惑星開拓をしなかったら、みんな戦争をしたがるのではないかと。

いとう　内側に向いちゃう。

冲方　隣の、すでに独占されたものにしかチャンスがないわけですから、それを奪いに行くしかなくなる。資源もそうですし、住みやすい場所や、環境が変化しにくい場所も。

大森　具体的にいうと火星ですか？

冲方　現在ですと月と火星ですよね。国家的な支配の問題なんですけど、日本は事実上、二十世紀からアメリカに支配されているので、ちょっとアメリカに寄っている。アメリカの論理は基本的にパイオニア精神が根っこにあるので、どういう状態になったらチャンスが少なくなるのかをよく知っている。チャンスを求めるために未知の場所へ行く。その時の人間のエネルギーの発揮の仕方はお祭り騒ぎになるので、相当に楽しくなるんじゃないかなと。でも楽しくなる分、おそらくは数百万人単位で人が死ぬと思うんです。

いとう　冒険しすぎてしまう。

冲方　惑星開拓のいい意味でも悪い意味でも素晴らしいところは、たくさん人が死んで、人口が減るんです。

いとう　地球上の人口のバランスをとることにもなると。

冲方　実際に惑星開拓が成り立ったらバックアップができるわけですよ。どちらかが滅んでもいい。

いとう　なるほど。

冲方　さらに、もし火星を開拓するとしたら、これまで人類を悩ませてきたいろんな問題から解放されます。まずは**先住民問題**。もし火星にいたっていうことになったらまた問題ですけど、基本的に何をやってもいい。聖地がないから。もうひとつは、他の惑星に行くと再び環境問題について考えなくてよくなる。原子炉は地表に立てて、いつ壊れてもいいものを作ればいいわけですよ。ただでさえ放射線が降り注いでいて、もともと汚染されている場所なんですから。きれいにすることだけ考えればいいという。

大森　でも、『レッド・マーズ』（キム・スタンリー・ロビンスン、大島豊訳・創元SF文庫）みたいなリアル系火星開拓SFだと、火星に行っても火星の環境は守るべきだという派が出てきて、非常に厳しい政治的な対立が起きる。火星でも環境問題をまぬがれられないんじゃないかという。

冲方　バイオ汚染とか、人工衛星は完全に滅菌してから放たないといけないとかいわれていますよね。火星でバクテリアが発見された時に、人工衛星が持ち込んだのか、宇宙船にもともといたものなのかわからなくなる。

大森　そもそも火星環境を改造して人類が住みやすくするのは、政治的に正しいのか、開発は是か非かという問題がある。アメリカのＳＦだとそういった議論がリアルに出てくる。

樋口　最近だと学問の世界でも宇宙倫理学などが出てきていますね。倫理学でもいわれるようになってきたのかなと。

いとう　樋口さんは火星や環境問題についてどう思いますか。

樋口　僕は、フロンティアスピリットで外に出るということは、物理的な外部という意味でもそうだし、**サイバースペースに行く方向性**もＳＦはけっこう描いてきたのかなと思います。現在の肉体を持った人類を前提にすると、地球の資源は有限なので、石油を採掘する技術はどんどん発展がある。たぶん、地球で暮らすことは、今以上に意外と長くいけるのではないかと思います。しかし有限なので、今の人類の形を持っている以上は、いつかは宇宙に出ていって暮らしていかないといけない。ひとつの未来の分岐のあり方としてあると思うんです。一方で、SFが描いてきたサイバーパンク的な方向性がある。冲方先生もサイバーパンクSFを書かれていますが、物理的な身体を持たずに情報パターンになって、**消費するリソース自体を減らしてサイバースペースで暮らす**という方向性もありうるのかなと。

いとう　肉体をなるべく置き換えるということですか？

樋口　そうです。

大森　**肉体を捨てて、意識をデジタル化**して、記憶や人格を持ったまま、コンピュータ・プログラムのような存在になる。人間がそのままAIみたいなものになるわけです。SFの世界では、人格のアップロードとかいいますが、そういう形で新しい永遠の生命を手に入れる。物理的な身体はもう必要ないという考え方です。

樋口　シンギュラリティ論*がありますけど、現在の消費しないといけないもののまま普通に**リソースを求めるか、リソースを削減する方向性でいくか**ということがあると思うんです。あるいは、リソースを効率化して消費する方向性。宇宙に行くのは、リソース

＊　シンギュラリティ論
人工知能の技術が人間の能力を超える、特異点（シンギュラリティ）の到来に関する議論。

を求めに行くんだという考え方で、シンギュラリティ論はリソースを削減する考え方だと僕は思っています。現実的に国連が言っているＳＤＧｓ*の在り方は、先ほど陳楸帆さんがおっしゃった方向性です。地球の他の動物や自然と共生するような在り方は、効率化や、自然エネルギーを使うという方向性だと思うんですけど、論理的には、宇宙に出るか、サイバーに行くか、ＳＤＧｓに行くかという、三つの方向性があると思います。沖方さんもおっしゃったように、ハードウェア／肉体をこのまま外に持っていくのは、いろんな代償を払うことになるのでしんどいのではないかと思います。

いとう　新井さんはどうですか。

新井　沖方さんの発言は、個人的にとても素敵なものだと思います。人がいっぱい死ぬところが。今、地球的にいちばんの問題は人口の過剰ですよね。とにかく地球に対して人口が多すぎるのは確かなので、外に出ていくのはとても建設的な考え方だし、戦争や、コロナよりひどい疫病が流行って人がいっぱい死ぬことを考えたら、開発で人がいっぱい死ぬ方が前向きで、ずっと建設的じゃないかと思うんです。

いとう　死んでいく者にとっても自分たちは役に立ったなと思えると。

新井　前を向いて倒れているじゃないですか。戦争はお互いに殴り合いながら倒れてるだけだし、疫病は後ろから殴られて倒れているわけだし、それに比べたら前に進んでいる感じはすごくある。

いとう　いいですね。新井さんらしい意見です。陳さん、冲方さんの提案についてはどうですか。

陳　そうですね。ちょうど今、火星についての小説が完成したばかりです。この小説では、一部の人間が火星に移住して、地球とはまったく違う文明を作りだしますが、環境汚染や資源を濫用する地球に侵食されてしまい、地球との往来を断ちます。それから彼らは双子の兄弟のように、でもまるで違った方向へと発展していきますが、地球文明に残った人たちは滅亡の危機に瀕して苦しみます。それで、使者を火星に送って、地球を救ってほしいと頼みますが、火星の人たちはそれを断ります。**人類という種は救済に値しない**ものだと考えているからです。しかし最終的に、小説の中では、交渉を通じて良い結果が得られます。火星に行ったとしても、環境保護を要なものだと思うからです。火星が第二の地球にならないためには、環境を保護することが非常に重要です。アメリカの話題で友人と話していたんですが、テスラのイー

＊　SDGs

二〇一五年に国連で採択された〈持続可能な開発目標〉。「地球上の資源の保全」を国際社会に訴えている。

ロン・マスク氏がなぜ火星に頑張って行こうとしているのかというと、彼が火星から来たからじゃないかと（笑）。もともと火星にいた人がすでに地球に紛れこんでいて、もう火星を滅亡させて地球に来ている。また地球も滅亡させて火星に戻ろうとしているのかもしれない、と（笑）。

いとう　陳さんの小説は、大江健三郎の『治療塔惑星』シリーズに似た体（てい）ですごく面白いですね。ＳＦと純文学が交錯している感じがありました。では、陳さんに、百年後の世界についてもう一度説明をいただけますでしょうか。

■「100年後の和諧（ハーモニー）」陳楸帆

陳楸帆　「調和」です。私は伊藤計劃氏の『ハーモニー』*が大好きです。彼は早世されましたが、中国で非常に影響力のある作品ですね。私は明るくてポジティブな未来をＳＦで伝えたいです。希望を与えたいのです。リアルでは、コロナや国際的な衝突があり、大企業が社員をモノのように酷使していて、若い人も含めて希望を持っていないからです。ＳＦ作家はそういう人たちに現実とは違う、未来についての想像を見せる必要

があると思います。ですからそれができないと、みんなが鬱になってしまって、毎日ゲームばかりしてVR空間にこもって何もしたくなくなるかもしれない。何も考えたくなくなるかもしれない。動画を見て、自分を機械のような存在に思ってしまうかもしれない。ですから私はやはりSF作家として作品を通して温かくて明るい未来を感じさせたいですね。

大森　伊藤計劃さんの『ハーモニー』は、体の中に医療用のナノマシンを入れることで誰もが健康になって、理想体型で健やかに暮らしているという近未来の話なんですが、そのハッピーな世界

＊　伊藤計劃『ハーモニー』（二〇〇八・ハヤカワ文庫JA）病気が克服され、倫理の発達した「ユートピア」の近未来を舞台とするSF小説。

に真綿で首を絞められるような息苦しさを感じていた女子高生たちが異議申し立てをするところから始まる。体に入れるナノマシンは「WatchMe」という名前で、いわば医療的監視社会なんです。日本では、ダークな近未来SFとして読まれていると思うんですが。

陳　もちろん、作品がディストピアということもわかっています。完璧な社会だと思われるようで、実は全然ハーモニーではないという。タイトル自体、非常に風刺的ですよね。今現在、私たちが存在する社会には、実はもっと監視があります。遠くない将来、私たちの身体にも（ナノマシンが）入るでしょう。例えばコロナと戦う場合、**チップを通じて人の身体をチェック**するかもしれません。今、スマホが普通のものになっているように、チップも普通になっていくのかもしれません。しかしその中で人の自由、倫理のボーダーはどこにあるのか。政治のコントロールは市民の行動をどこまで支配するのか、について考えていく必要があります。**データのプライバシーは徹底して保護されるべき**で、それは今後の重要な問題になると思います。今回のコロナで、中国でもこういった話題が注目されています。旅行先など自分の生活行動が、プラットフォームに監視されていると思うようになったのです。プライバシーのデータが企業に濫用されないように、お金儲けの道具にならないようにどう保護していくのかを人々が真剣に考えはじめるようになったと思います。

いとう　なるほど、頼もしいですね。樋口さん、今のお話についてどうですか。

樋口　おっしゃる通りだと思います。中国人である陳さんからそういったご発言が出て、僕も非常に勇気をもらいました。僕もそうですが、日本人でデータプライバシーを身近で重要なものとしてとらえている人はそんなにいないと思うんです。フェイスブックやツイッターをやっていて、クーポンをもらってうれしいなという人が多いと思うんです。一方で、トランプ政権が生まれる前、フェイスブックの個人情報を抜いて、こういう層の人たちにはこういう情報を流せばトランプ支持者になるという情報操作が行われていたり。データを明け渡すこと、最近ではナッジやアフォーダンスの研究もすすんでいて、人間はこういう情報を与えたらこういうふうに動くとか、人を操るための知見が非常に先鋭化されていて、現実問題として悪用が起きている。**データを明け渡して便益を享受することは、未来の自分の行動を束縛して自分の自由を他者に明け渡す**ことなんですけど、そういうものに対する危機感は日本では薄い気がします。陳さんもおっしゃったように、コロナ以降、これから日本でも、自粛の要請や、自分たちのことをもっと**管理・監視してほしいということが大衆側の要請**としてあることが明るみになってきたので、非常にやばい分岐点に僕たちはいるのではないかと思います。特に中国は日本からすれば、日本よりも管理社会だと言われていますよね。おそらく、日本にとって中国が未来なんですよ。そういうところからこういうご発言が出てくるのは、すごく示唆的で、傾聴しないといけない言葉だと思います。

いとう　陳さんがおっしゃっていることは、陳さんの周りの作家にも常識的に共有されていることなんでしょうか。

陳　純文学の作家であっても、SF作家であっても、自分なりの考えを持っていると思います。話を聞いて感じたのは、いちばん大事なものは命だという共通の認識があるということです。ただ、社会においては弾力性がなければなりません。つまり正常なときは、人々が自由に行動できる権利が保障されている。しかし極端で特殊な環境の中では、政府からの強制的な措置によって、公衆の安全を保護する必要があると思います。子供たちやお年寄り、障害のある方といった立場の弱い人の、安全を守ることです。特にこういう人たちはウイルスに弱い。立場の弱い人たちは選択肢が少ないので、措置を通じて一部の人々の一生が制限されている中で安全を守る。たとえば人が集まるようなイベント――コンサートや大型のスポーツイベントなどでは一般の人にマスクを着けてもらって、集まらないように制限をかける。**成熟した社会では、一般の人々は集団で努力することに理解を示せる**はずだと思うんです。これにはおそらく、共通の認識に合意する必要があります。というのも日本や韓国を含めた東アジアの国々はコロナに対しての政策を欧米より徹底していますよね。これには文化的な背景が存在していると思うんです。ですからこれからはＡＩなどのテクノロジーを使いつつ、社会レベルでのより緻密な管理を行う必要があると思います。それぞれの社会の状況に基づいて調整されると思いますが、最終的に自分の権利だけではなく、周りの皆のことを考え、社会全体のより広範な権利を考慮しながら人々の命に責任を持つべきだと考えています。

いとう　なるほど。冲方さん、権利と自由のハーモニーについてどう思いますか。

冲方　ハーモニーっぽい状況を実現する一番簡単な方法は、全員の自由を奪うことなんです。要は、波風が立たないようにする。日本の古来の政策にあった「五人組」は、近所同士で監視させて、波風を立てそうなやつがいたら村八分にして干殺しにするというものでした。こうやって日本人は和を尊んできた。

樋口　最近も絆とか、自助共助のような言葉があることに象徴されるように、政府で制度的に縛るというものではない。

いとう　自律的にやっているかのようにみせると。

樋口　そうです。冲方さんがおっしゃったことの一方で、陳さんのご提案に、日本人としてやや疑問に感じたことがあります。日本人はご近所づきあいのハーモニーとか、みんなでやっていこうということがうまくいきすぎて、それが同調圧力になってディストピアになっているという現状がある。その文化の中でどう安全を守りながら、一方で個人の権利を確立させていくことが課題だなと考えました。

大森　最初に樋口さんが言っていた、誰でも好きなようにやればいいじゃないかという価値観とは対立するわけですね。俺はコロナにかかる権利があるぞ、という話でしょう。

冲方　もうひとつが、個人の移動の自由を保障すること。自分にぴったりくるハーモニーのある場所を探せるようにする。このコミュニティでは自分は息苦しくて死にそうだけど、あっちにいくと変わる、というような。この移動の権利というのは日本人には長らくなかったですね。田舎に行くと、いまだにないと思っている人たちも大勢いるわけですね。

樋口　そうですね。東京を異世界だと思っている人はいっぱいいますからね。

冲方　来られないと思っている人はいます。コロナはひとつの試金石になっていて、この後われわれは移動の自由を認めていくのか。認めていけなければ、それこそディストピアしかないという気はします。

いとう　移動の自由に関して、いつＯＫが出るのか、どういう形に変化するのか、元のようになるのか、すごく大きなところですよね。

大森　デジタルに移住してしまえば移動の自由が保障されるという考え方もあるわけです。デジタル世界の中ならばどこへでも行ける、どこにアメリカや中国を作ってもいいし、自分の田舎町を再現したところにみんなで集まって暮らしてもいいという自由が、デジタルであれば保障される。

冲方　デジタル世界に自分をアップロードするということでも、二つの大きな違いがありますね。ものすごく大きな企業が作ったサーバーに自分を流し込むのかで全然違うんですよね。

樋口　おっしゃる通りだと思います。インディペンデントなものとして自分を守り切れるのか。グレッグ・イーガンの『順列都市』でも、金のない奴は従量課金制で、どんどん時空の解像度が下がっていくというような。

大森　CPUの計算能力が買えないので処理に時間がかかり、現実世界にくらべて仮想空間の時間が遅くなっていくという。

樋口　そうです。時間が遅くなっていく。

冲方　下手するとアップロードした瞬間、すべての人権を奪われかねない。

大森　新井さんの先ほどの論理でいうと、アップロードされた人は死ぬことと同じだから、物理的な資源は消費しなくなる。だから何百万人もアップロードしてくれれば、わざわざ火星に行かなくてもその分だけ人は減るから、残った人にとってはめでたしめでたしという考え方もできる。

新井　行っちゃった人は死んだという扱いでいいのかな？　死ぬつもりで行っているわけじゃないだろうし。

大森　デジタル世界に行かない人にとっては死んだも同然という。

樋口　肉体人と、半分肉体人、ハードウェアを持っていて、そこに意識をアップロードする人と、ガチでソフトウェアの人とで三タイプに分かれる。イーガンの『ディアスポラ』でもそういうことを書いていると思うんですけど、ソフトウェア人と機械人と肉体人の間で、結局自意識は分かれ、対立は生まれる。あいつらは全然幸せじゃない、俺らがいちばん幸せだと。

大森　気の持ちようですね。

冲方　将来は寺の出家みたいになるんですかね。解脱したいとか。

いとう　俗世を離れるということですね。

大森　還俗（げんぞく）がいつでもできるんだったら、いいですけどね。

樋口　冲方さんがおっしゃったように、企業にあけわたすのか、どこまでインディペンデントなものとして自分の意識を預けるのか、というのはデータプライバシーの話と同じで、必要だと思っています。僕もそこに問題意識を持っていますね。サイバーパンクもそうだと思いますし、そもそもサイバーパンクがストリートカルチャーの中で新しいフロンティアとして、官僚機構などに監視されない自分たちのインディペンデントな空間としてサイバースペースを取り扱ってきたと思います。でも、フェイスブックやグーグル、GAFAと呼ばれる大企業が参入してきて、**インターネットは今、監視そのものみたいになっている。**動くことで、公的なデータは必ず発生し、それらのデータはつねに監視されているという中で、最近ではダークウェブとかサイバーパンクの新しい流れ、あらゆるものを暗号化して交換し合うことでコミュニケーションする新しい流れも起きていて、イタチごっこだと思います。権力はついてくるし、常に管理から逃れるためにサイバースペースの奥底へ行く人もいるし。

いとう　権力と資本ですよね。スマホを開けたら、昨日何を買ったのかという情報が来るという。この商品はどうですかと言われている時点で、すでに追跡が終わっているということですよね。

樋口　はい。冲方さんがおっしゃっていた、アップロードした瞬間に死ぬという話も実際に起きつつあるんです。キンドルで本を買って、作者が問題を起こしたらデータが全部消えていたりするじゃないですか。その延長線上には、データ化された意識や思想や人格の消去が考えられます。人格をアップロードした後、この夢や思想の内容はダメだと検閲されて消されても、気づかないというようなことは、リアルな問題として起こりうるんです。

いとう　なるほど、記憶に残っていないと。

樋口　本人が気づかないままに改変されているということは、企業クラウドに人格をアップロードした場合に絶対に起きる。

いとう　ちっともハーモニーじゃない未来について話していましたが、陳さんはどう思いますか。どう戦いましょうか。

陳　私はグーグルやバイドゥといったＩＴ企業に勤めた経験があり、大企業の運営がどのようなものかは多少理解しています。現在の世界的な発展のトレンドはこういった大企業による独占、とくにハイテク企業がどんどん発展していまして、それはどこの国でも同じです。ですからひとりひとりが自分のデータを出さなければ便利さを共有できない、場合によっては八方ふさがりになるといった現象を生み出してしまいました。たとえば中国ではかなりの場所で現金払いを受けつけないので、携帯支払いをしない場合は生活できなくなる可能性も多々あります。多くの場所では、スマホの健康表示

QRコードを提示しないと、そこに入れなくなる。でも高齢者たちからすれば、そんなものはよくわかりません。スマホの使い方を把握しようとしても、かなりやっかいでしょう。じつはこれがアンバランスを発生させています。**デジタル時代の不平等**です。アップロードされたあなたのデータが、どのような企業に活用されるのか、どこに使われるか、一般の市民は知りません。法律の面やユーザーの面からこういった認識を持つことが重要だと思います。デジタルデータは個人の資産の一部ですし、勝手に使用されたり販売されてもいけない。これは多くの人が認識できることだと私は思うのです。いくつかデータを送ることで、割引などたくさんの利便を受けることができます。多くの場所で自分のIDカードや現金、銀行カードや、クレジットカードを出さなくてもよくなりますが、全部情報としてあげていて、徹底的に相手に把握されている。ひょっとしたら相手は自分よりも自分のことを知っているかもしれません。この時代、個人の力は小さなものです。独立的な空間を探し出して、大企業が生き残ってきたデジタル環境から逃げ出すこともできない。それは将来的にますます難しくなっていくでしょう。これは世界の問題だと思っています。リスクヘッジをどう設計し、どうやってこの大企業の力に対抗し、自分自身のデジタル資産を保護するかを考えないといけません。これは、大変重要なことですし、みんなが力を合わせないといけないことで、個人では戦えません。**サイバーパンクの時代はすでに終わっていて、ヒーローが出てきて大きな危機と戦う時代でもありません。**

いとう　少なくともその構造を明確にオープンにさせることが必要でしょうね。

大森　ジョージ・オーウェルの『一九八四年』が描く管理社会はビッグブラザーが市民生活を監視しているハードなディストピアだったんですけど、『ハーモニー』の元ネタになっている、今から百年ぐらい前――一九三二年かな――に書かれた、オルダス・ハクスリーの小説『すばらしい新世界』はもっとソフトです。その社会では、生まれた時から条件付けをされているので、みんな満足してハッピーに暮らしている。つらいことがあっても、政府から支給されるドラッグを服用すればすぐに忘れられる。子どもは工場で生まれるから親子関係のわずらわしさもなく、フリーセックスで誰もがリア充な世界が実現している。普通に読むと全然ディストピアに見えない。というか、現実がだんだんそれに近づいていって、スマホ一つで便利に楽しく暮らせる社会がほぼ実現している。中国は『ハーモニー』的なソフトな監視社会の一番の先進国だと思うんですけど、その監視は民間企業が持っているデータの中でなんとなく行われているから、『一九八四年』的な恐怖感はあまりない。プライバシーを代償にしても、楽しく暮らせるならいいじゃないかと。日本でも、監視カメラが津々浦々にあるのはみんな受け入れているわけじゃないですか。渋谷のハロウィーンで軽トラをひっくりかえしたら、監視カメラで追跡されて逮捕される。それが抑止力になって治安が良くなるとも言えるんだけど、そのトレードオフをどこまでOKにするのか。ほとんどの人が幸せな場合に、むしろ考えないといけない。

いとう　幸せじゃない人のことを考えないといけない。

大森　いや、幸せでも考えないといけない。

いとう　そうか、幸せの裏に何があるかということか。

大森　目に見えない何かが全部どこかへ流れていっているからこんなに便利なんだという。

いとう　何を失っているかということですよね。

大森　あえて不便を選ぶ自由があるかどうかがだいじですね。

いとう　今回の会議に参加してくださっている海外の他のSF作家の方の意見も聞いてみたいと思います。まずは前回も参加いただいた、韓国の女性SF作家の新鋭、キム・チョヨプさんです。

「100年後はサイボーグたちの世界」キム・チョヨプ

キム・チョヨプ　わたしが思うに、百年程度ではあまり大きな変化はないと思います。実際、百年前とくらべると、ものすごく変わったようでありながらも、人々が暮らす風景自体は似たようなところが多いように思えます。まずは人間が滅亡することなく生き残ることが第一ですが、百年後となると、**常にオンライン状態でいるサイボーグの世界**になっているのではないでしょうか。今はスマートフォンやウェアラブルデバイスを使っていますが、百年後は手首や脳にチップを埋めこんでいるでしょうね。機械とつながることへの抵抗感も薄れていそうです。それでも、常にどこかにつながっているということ自体は、今とさほど変わらないと思います。

それと、一方で気になるのは、**接続を切りたい人がいた場合、どうしたらいいのか**ということです。わたしの場合、ひとりで考え事をしたり文章を書きたいときは、スマートフォンを目に入らない場所に置きます。パソコンも、Ｗｉ‐Ｆｉのコードを抜いて、インターネットをログオフ状態にします。でも、もしも自分が百年後の世界に生きる人だったら、常にオンライン状態のサイボーグだったら……ひとりになりたいとき、どうすればいいのか。絶対にひとりになれない人はどんな気持ちだろうと考えさせられます。もちろん、わたしがあと百年生きることはできないでしょうが。

いとう　切断権というか、非・接続権というか、そういうことですよね。冲方さんどう思いました。

冲　方　常時接続されていてサイボーグ状態になっていて、脳みそもストレージがついていて常に情報が行き来しているとどうなるんでしょうね。テレパシストの悩みみたいな。

いとう　人の独り言が聞こえちゃうとかね。

冲　方　そうですね。ツイッターは人のどうでもいいつぶやきがどんどん入ってくるじゃないですか。目を逸らせなくなる。適応じゃなくて病んでいくのではないでしょうかね。個人としての自我の柱をどこに置くべきか、どうすべきなのかという問題に対して、別のテクノロジーが発展しないと解決しないのではないかという気がしますね。

いとう　別のテクノロジーというのは、例えばどういうものでしょうか。

冲方　たとえば、アップルウォッチみたいなものが自分の脈拍や精神状態を測ってくれるようになると思うんです。体調が悪くなると自動的に切れる、とか。

いとう　重要なのは接続を行ってくれるテクノロジーですよね。

冲方　Ｗｉ‐Ｆｉのハブを常に携帯できるようになる場合、ハブが自分の体調や脳波、心拍数を測って、これ以上この人にネットはダメだとなったら勝手に切れるという。

いとう　いいですね。欲しいな（笑）。でも悪用されるかな。陳さんどうですか。キムさんの考え方は。

陳　確かに、スマホやインターネットはわれわれの生活の中で切っても切れない存在で、われわれの身体の一部、**もうひとつの臓器**のようなものですね。ただ、この臓器は毎日充電しないといけないですね。ときどき掃除をしてあげたり。われわれの考え方、情報の受け取り方、さらには他人との関わり方なんかも、すでに**機械にコントロール**されているなと思うことが時々あります。ほとんどがそれに影響されています。ですからこういうことはおそらく不可逆的な状況になっているのでしょう。冲方さんもおっしゃった通り、これから新しいテクノロジーが必要になってくるのではないかと思います。人をインターネットから断ち切れるようなものです。例えば、アルコールやドラッグの中毒性を断ち切る技術。一定の期間、インターネットもテクノロジーもない生活を送る必要があるかもしれません。われわれ人間は大自然に戻って、自然界とつながりを持つことで、ようやく健康や楽しみというものを得られるんじゃないかと私は考えています。情報過多状態ですが、実はわれわれ人間はそこまで処理できるほどに進化できていない。つまり私たちの脳、身体はそんなに完全に進化していません。でも、一部の人がサイボーグになってもいいのではないかと思うんです。子孫が遺伝子工学を使ってゲノム編集して別の遺伝子に変種していいと考えている人や、あるいは極端な話、自分のデータをクラウドにアップロードしてもいいと考えている人もいるでしょう。しかし、どのような形であっても問題が存在しています。私が私の周りの環境や関係性とどうやって共存していくか、どのように調和してバランスを保てるかということです。もしこれをうまく解決できなければ、技術にコントロールされて技術の奴隷になってしまう。結局、自分の求める幸せが求められない状況になっています。それは幸せの定義が個人でそれぞれ違うからなのですが、自分の求める幸せは、もしかしたら**メディアが教える幸せ**なのかもしれない。何をするべきか、何を買うべきか、どんな人になれば幸せになれるのか、これは本当の自分の考えではないのです。ですから現代の人間は人間自体を理解しなければなりません。これがとても大事なことだと思います。なぜならほとんどの人が、社会から植え付けられた考えかもしれないこと＝自分の考えだと思っているのをわかっていないからです。実はそうではないのです。

いとう　新井さんはどうですか。

新　井　私はSNSを一切やっていないんです。ツイッターやフェイスブックもやっていなくて、スマートフォンは電話をする以外に使っていない。普段はずっと家においてあります。携帯してません。私はこのメンバーではごく少数派だと思うんですけど、今の社会全体でいえばそんなにごく少数派でもない。その観点から言えば、そもそもサイボーグ化すること自体認めたくないというか、考えたくない。イヤですね。いまだに本は活字の紙の本を手で読んでいるし、人と会うときは電話で話すのもイヤで、会うのがいちばんいいなと思っている。その類(たぐい)の人って今の世界にまだ生きてるよね、まだいますよね。

いとう　ガラケーの人はそうですよね。

新　井　私はアプリとかも全然ダメです。アプリって何？　という。だけど、そのレベルの人もいると思うんです。

いとう　「アプリって何？」って名言ですよね。僕らが失ってしまった幸せですね。

新　井　私は普段そういったものをやっていないので、自分が何をやったかを企業に知られるというのは感覚的にすごく怖いんです。
いとう　なるほど。でも向こうからしても新井さんのことが怖いと思いますよ。
新　井　何もやっていないのだから、向こうの人は私のことを知らないですよ。
いとう　でも、「いない」ということにはなっていないと思うんですよ。「いる」というデータはわかっていて、中身がわからないことを彼らはものすごく怖がると思います。
新　井　ちなみに私、クレジットカードも持ってないです。
樋　口　かっこいいですねえ。
大　森　中国では暮らせないですね。
いとう　屋台でも物を買えませんよ。
沖　方　行方不明になっても誰も捜してくれないですよ。
樋　口　でも、行方不明になれる自由をもっている。
新　井　それは言えてます。
いとう　スマホを持っていたら行方不明にすらなれない。
新　井　クレジットカードやスマホを携帯していない人間って、追跡不可能じゃないですか？
大　森　いやいや、監視カメラに映るんですよ。

新井　顔認識がありますね。
樋口　日本だとまだＡＩ監視カメラがそんなに普及していないですから、大丈夫かもしれませんね。
新井　そんなに私を失踪させたいですか（笑）。今のところは失踪する気はないです（笑）。
いとう　続いては、新井さんと同様に第一回からレギュラー出演していただいている、小説『三体』の劉慈欣さんからもＶＴＲが届いています。

「100年後は人間が変化する」劉慈欣

劉慈欣　百年後の世界を考えるうえで、まずわたしたちの現実を見てみましょう。わたしたちの現在の状況です。科学と技術がすでに生活に影響を与えていることは誰でもわかっているでしょう。特に百年前と比較すると、人間社会全体が大きく変化しました。科学技術によって、まったく新しい世界が作りだされたのです。しかし、見落とされていることがあります。すなわち、ひとつだけ、ずっと変わらないままのものがあるということです。そのことに注意してください。過去百年間に変化がなかっただけでな

く、過去千年、一万年、あるいは人間文明の誕生以来から見ても、変化していないものがあるのです。それは、人間です。もっと正確にいえば、それは人間の生物学的な特徴です。

生物学的に見ると、わたしたちの現在の体は、数万年前の人々の体と大差ありません。例えば病院のモルグでは、石器時代の人間の遺体をまぜても、検視官は何も異常に気づかないだろうという話を聞いたことがあります。それはつまり、生物学的進化、自然進化には、何万年もの長い時間がかかるということです。したがって、人類文明の誕生から数千年という短い期間では、進化のサイクルを経験するのに十分ではなく、自然の進化が私たちに与える影響はまだ現れていません。

しかし、今後百年間で、人類は科学技術を通じて**わたしたち自身の進化に直接介入し、身体的な改変を行う可能性があります**。進化に関わるテクノロジーには、分子生物学、遺伝子工学、情報科学、人工知能などが含まれます。たとえば、遺伝子工学と分子生物学を使ってわたしたち自身の生物学的性質と生物学的構造を変え、人間の寿命を大幅に延ばしたり、さらに大きな変化をもたらしたりすることができます。人工知能と情報技術を利用し、人間と人工知能を持つマシンを組み合わせることで、人間と機械が統合された新しい人類を生み出すことができます。

現在の人類の文化、政治、経済、わたしたちに関するすべてのことに関して、こうした変化が持つ重要性は計り知れません。なぜなら、それらはすべて、わたしたち自身の生物学的特性と生物学的構造に基づいているからです。その基盤が変化すれば、人間社会全体の上部構造が大きく変化します。人類の文化、政治、そして文明全体が大きく変化するのです。

これは、ほんの一例です。人類が三つの性別を持っている場合、または、現在の性別が完全に消えた場合、それぞれについて考えてみてください。わたしたちの文化、わたしたちの生活、そして社会全体への影響がどれほど大きいか、この一例だけでも想像できます。

百年後の世界でもっとも大きな変化は、おそらく**人間自身の変化**だと思います。わたしたちの現在の世界と百年後の世界とのあいだの違いは、現在の世界と五千年前の世界とのあいだの違いと同じくらい大きいものになる可能性が非常に高いと思います。

いとう　ということで、人間自身が肉体的に変わるんだという話ですね。樋口さんはどう受け止めましたか。

樋　口　はい。先ほどの新井さんの話と真っ向から対立するご意見だなと思いました。僕はけっこう、新井さん派なんです。**想像可能なものは実装可能**なので、劉さんのおっしゃることは過去や現在の制約みたいなものをゼロで考えて、ゼロベースからそうするということであれば、たぶんそうなると思います。一方で、人間は今を忘れられない生き物なので、僕らがこういう体を持っていて、その体で自分たちの思い出や人間関係みたいなものを育んできた中で、急に変われないと思うんで、百年ぐらいだと技術的には実装可能なところまでいくと思うんですけど、政治的、社会的、文化的な理由のところで、実現性に歯止めがかかるんじゃないかと僕は思います。

いとう　なるほど。歯止めがかかるという問題については倫理的、あるいは文化的にみて、陳さんはどうお考えですか。

陳　劉さんが、生物学的に大きな変化がない、しかし外部のテクノロジーには変化があるとおっしゃいましたが、これを前提としますと、社会の依存、文化、政治、制度、習慣、そのような固定観念は人類にとって非常に強いものでしょう。私はアニメの「攻殻機動隊」が大好きですが、ＯＶＡバージョンでは技術と社会、倫理の話がたくさん出てきます。例えば人が電子の頭脳を持った場合、その自我は私たちが思っていた自由と同じものなのか。例えば高齢者がそうやって永遠に生き続けられるとしたら、社会の権力構造は大きく変化するのか。退職することもなく、大きな財閥や企業のトップにずっと居続ける。こういう社会は新陳代謝がないので進歩がないことになる。ですから**こういう変化というのは時にはかなり急進的なやり方が必要なのではないか**と思うのです。それは巨大な災難や戦争、あるいは宇宙空間から来る災いかもしれませんし、私たちが知らない力かもしれません。このような特殊な環境においてのみ、社会はごく短い間に非日常の状態を受け入れることができます。なぜなら新しいルールやロジック、文明を受け入れざるをえないからです。悲観的に思うのは、人類の発展は徐々に上がっていくのではなくて、波のような間接的なステップアップだということです。途中で飛躍的な変化をとげなければなりません。そうでないと頂点に達してから落ち込みがあるかもしれない。環境や人口の圧力、リソースの制限があるために、下に向かうかもしれない。今、あらゆる経済発展のモデルは人口増加によるものです。その結果、多くの労働力が必要となり、経済価値が生み出され、この社会の発展が続くように支えられていますが、限界があります。無制限に成長し続けるわけではない。ですからどこかのポイントにぶつかってはじめて劇的な変化が起こるのです。そこからほかの場所に飛び込むことで、もしかしたら進歩があるかもしれません。ただその過程では冲方先生が言われたように、失職したり命を落としたりといった犠牲もあるかもしれませんが、文明はそうやって一歩ずつ前に進むものだと思っています。

いとう　なるほど。冲方さんどうですか。

冲　方　**自分の肉体**というのは、古来人間にとって**信仰の中心**なんですよね。アステカ文明でいけにえを捧げたのは、人間の肉体に価値があるからですし、キリスト教では生殖に関しての禁止が非常に多い。それも信仰の中心だからです。これを変えようとなると人類にとっては初めての経験ですから、**どこから変えるのか**がまず問題になると思うんです。あとは、どこから変わったことになるのか。われわれの寿命はどんどん延びていますけど、寿命が延びるだけで社会的な混乱が起こるくらい、われわれは何もかも人間の肉体を基準にして考えている。本来、老後を保つためにあるはずの年金がわれわれの負担になっているのも、自分たちの肉体が変わったからです。これからの科学で肉体をどう変えるのが倫理的に正しいのか、あるいは倫理的に誤っていたとしても、許容する特区みたいなものを作るべきなのか。個人の自由として認めるべきなのか。未来を予測するうえで現代を参考にしますが、**人体改造**は昔から多少あったわけですよね。刺青や性器の切除。それは信仰に基づいて管理されていたのですけど、個人の自由となった時に**医療と真っ向からぶつかる**。義手義足が発達すると、手足という非常にわかりやすいものをどうするか。以前、機械化義足を開発している日本人の方とお話ししたんですけど、老人はみんな足を切ればいい、そうすれば走ることができるのにと言っていたんです。それはいいことなのだけど、われわれの肉体に関する信仰が邪魔をするわけです。尊ばなければいけない倫理観の根がある。あるいは、食糧不足になった場合、人間の胃腸をサソリの胃腸に変えて、一年ぐらい食べなくても生きていけるような消化形態にすればいいじゃないかと。心臓が悪い人は豚に人間の心臓を出産させてそれを移植すればいいとか。内側を変えることでいろんなことができるわけですけど、重要なのは根源的にわれわれを支え続けてきたある種の宗教的な倫理観、これをまず整えないことには何もできない気がします。

樋口　**利便と納得はぜんぜん別の話**ですよね。便利だからといって、それを採用するわけではないというのが人間の歴史なのかなと。

大森　身体改造に関しては、現在進行形の問題として、遺伝子技術がありますよね。例えば、出生前診断で、自分の子供の染色体や遺伝子がある程度わかる。

樋口　非常に重要な問題ですよね。

いとう　しかも進んでしまっています。

樋口　出生前診断で自分の子供が障害者であるということがわかった時に、産むのか産まないのか。障害の原因の遺伝子を遺伝子編集でとりのぞいて健康体として産む選択をとるのか。

大森　さらに進むと、子供が太りにくいように、あるいは知能が高くなるように遺伝子をいじるのは許されるのか。

樋口　みんなどう思うんでしょうね。僕個人の思いとしては、社会的に障害とみなすものを障害と言っていることがおかしい、社会が変わるべきだと思うんです。障害とみなされる子供であっても生まれるべきだと思うんですが、それが子供のためになるかどうかはまた別の話です。僕の意思決定と子供の意思決定は全然違うので難しい。どう考えたらいいかわからない。最近、そのことをすごく考えています。

いとう　すでに、長く凍結した受精卵を戻すことは普通に行われているので、それが人類の今までの形で生まれている子供なのか、新人類と見るべきなのかということは、後々、差別の問題や戦争の問題になってくる可能性もありますよね。

樋口　命にどこまで手を加えてよいか。社会的な了解を得ることと、感情的に自分が納得することとで乖離があると思います。

いとう　新井さんはどうですか。

新井　切羽詰まっている人はやるかもしれない。「切羽詰まっている」というのは、自分の子供が将来メタボになるとか、うちは遺伝的にちょっと糖尿の気があるよねというのとは違います。このまま生まれてしまうと遺伝的に致死性の障害が出るような人。どのような人間も最終的には死ぬんですけど、もうちょっと短いスパンで、生後一年か二年もたないというような子供ができちゃう可能性の人は切羽詰まっていると思うんです。この段階では自分の思想とか好みとかは関係ない。

樋口　まさにそうです。僕がいくらここで自分の思想を開陳して、社会がおかしいから生まれたきたものはそのまま生まれてくるべきだと言っても、自分の問題として直面したら迷うと思うので、おっしゃる通りですね。

新井　少しの病気であれば治療法ができることを夢見るかもしれないけれど、致命的なものについては絶対に切羽詰まると思うんです。人間ってけっこう保守的なので、切羽詰まらなければやらないと思うんです。

樋口　僕もそう思います。利便性とか効率性とか、今あるものがちょっと便利になるという話だと人はあまり動かない。命にリアルに関わってくるとかでないと。冲方さんが宗教の話をされていたように、信仰って実存そのものじゃないですか。自分の人生を規定するものだと思うので、そういうものに関わって変える変えられないという話になってくれば、人は変わるのかなと。

いとう　そういう問題にはなるでしょうね。世論が高まって法律が変わるということは、今のクリティカルな問題にはありえるだろうし。

大森　大きな格差が生まれる可能性もありますよね。改造上等！　みたいにしてどんどん遺伝子を操作して、どんどん超人化していって、ＩＱ３００とか、記憶力抜群とか、なんでもできるような遺伝子改造をした人たちが社会階層のトップを占めたり。

いとう　お金があるからできることですからね。

樋口　ＳＦはそういう思考実験ができるのが楽しいですよね。テッド・チャンのリッチ・キッズの話（「２０５９年なのに、金持ちの子にはやっぱり勝てない——ＤＮＡをいじっても問題は解決しない」ＳＦマガジン二〇一九年十二月号掲載）とかは、遺伝子編集をしても、結局金持ちがいいという話なんですよね。

大森　貧乏な人の遺伝子をいじって、頭の良い子供を作ったとしても、その頭の良さをプラスに評価するような環境になければ、その才能が生かされない。結局は金持ちには勝てないという話を未来の論説記事スタイルで書いている。ある意味悲観的ですが。

樋口　現実って、変数が複雑なので、ひとつ変わったからといって、その変数をいじったことで当初達成したかった目的が達成されるとは限らない。変数どうしの相関的な関係で結論が導きだされたところが、思ったところとは違うところにいってしまったということが、フィクションだと、SFでは提示できるので、面白いところだなと。

樋口　この流れでいうと最悪なことになります。お前は今日マジでなにしに来たんだといとう　では、樋口さんの百年後の答えをいただきたいです。

（笑）。

■「100年後はわからない」樋口恭介

樋口　大森さんに最初、百年後は難しいけど、逃げずにやるのがSF作家だということを言った手前、俺はSF作家じゃないなという感じなんですけど、**未来予測は基本的には**

できない。なぜなら未来はいっぱいあるから。未来は複雑で複数的にあるのに、**人間は単線的にしかものごとを考えられなくて**、物語という単線的なロジックで認識しようとするから未来予測ができるのであって、でも現実自体はそうはできていないから、基本的にはできないと思うんです。J・D・バナール*も、未来には二つあって、**宿命的な未来**というのと**願望としての未来**があるといっている。新型コロナがこれだけパンデミックを起こしているという話も、宿命的な未来だったのかなと僕は思っています。一般書でも、このままいくとパンデミックが起

＊　J・D・バナール（一九〇一 - 一九七一）
イギリスの科学者・分子生物学者。著書『宇宙・肉体・悪魔』（みすず書房・鎮目恭夫訳）で独自の未来論を展開。

きるという本が多く出ていて、宿命としての未来にみんな別に抗おうともしていなかったし、見て見ぬふりしてきた結果こうなった、という話になっている。宿命としての未来に対して、抗うのか、そのまま放置しておくのかという話がある一方で、願望としての未来、人間は、何もないところに家を建てたり国を作ったり、フィクション――神や宗教を作ってみんなで動いていった。**願望としての未来を使いながら未来を切り開いてきた**という歴史的な側面もあるのかなと思っていて。ＳＦ作家として何が言えるかというと、願望としての未来についてどうするのかというところだと思っています。未来予測という意味だと「わからない」んですが、願望としての未来、こういう未来を描きたい、ということなら僕は言える。そういうことが言いたくてこの答えを書きました。

樋　口　「願望としての未来」はどのようなものなんですか。

いとう　未来予測という言葉もそうですが、近代以降は主体が一貫性を持っていて、国も一貫性があって、みんな合理的にものごとを考えていて、過去があって現在があって未来があってという単線的な構造でものごとをとらえられるというフィクションが、ヘゲモニーを獲得しているから、未来予測という言葉もこれだけ普及していて、みんながそれを信じているという状況があると思うんですけど、僕はそうじゃないと思うんです。**国とか社会とか主体**とか、**責任**もそうだと思いますが、**全部フィクション**だと思っている。人ってすごく気分で変わるので、一貫性なんてないし、**人それぞれが固有で異質なもの**なので、例えば日本人はこういうものとか、中国人はこういうものとかという、その国の歴史の中で育んできた文化だからなんとなくそういうふうになっているのだけど、本来的には違うもので、願望としてはそうではないのだと。**異質なもの**として、**固有のもの**として自分をとらえかえして、自分を提示して、それが**許容**されてOKになるという未来がくるといいなと思っている。つまり、無責任であるということが当たり前になるという未来ですね。作品でも書いているつもりです。僕はけっこう、無責任なんですよ。

いとう　無責任というのが非常にポジティヴに未来をとらえようとしている意味では誠実だと思います。

樋口　そうですね。僕の言う無責任というのは、**責任というものがフィクション**であって。

大森　そもそも責任などというものはないと。

いとう　責任を取りようがないものね、そもそも。

樋口　そうです。最近も、恵比寿テキーラ事件というのがあって、高級ラウンジで女の子に自己責任だよといってテキーラを一気飲みさせて死んでしまったという。主謀者は、自己責任といったから自己責任なんです、飲ませた自分には責任はありませんと言っていて。でも自己責任ってフィクション、虚構じゃないですか。一方で生きていることと死ぬことって実在するものだから、虚構をもって死という実在するものに論理的につなげていくというのが当たり前にまかり通ってしまうのは非常に欺瞞だし、何なんだと僕は思います。

いとう　つまり、積極的無責任だよね。

樋口　そうです。それって虚構じゃない？　というのを知らしめていきたいというような。

大森　でもそれは結局、みんなやりたいようにやればいいけど、死ぬとマズいよねということに。

樋口　そこはまた別軸として考えたいのですけど。

大森　そこまで一緒にして考えちゃいけない、やりたいようにやるには限度があると。

樋口　そうです。そこをどう線引きすればよいのかは僕のなかで全然答えを得られてないです。

いとう　それこそ、それぞれがきちんと考えるべき問題だからね。

樋口　そうするとまた自己責任という話になってしまう。

いとう　それは自己責任論を批判すればいいだけなので。

大森　みんな勝手にやっているけど、それでもうまくいくような未来が実現してほしいと。

樋口　そうです。

いとう　それはすごくいい未来ですよ。みんな生きやすい。

樋口　SFには関係なくなってしまいますが、たとえば、前回の芥川賞を取られた遠野遥*さんの作品を読むと、こうしていると幸せだとされるから、こうしていると幸せだとされる道を俺は行っているから俺は幸せなはずだということを言う登場人物がいっぱい出てくるんですよ。ツイッターとかを見ているとそういう人がめちゃくちゃいて、「年収一千万の俺が不幸なはずはない」というような主張が普通にまかり通っている。でも僕はそうじゃないと思っている。そういう人は、**自分の本来の欲望**とか、自分がこうしたらイヤだとか、こうしたら自分は気持ちよくなるみたいなものを**忘れちゃっている**。他人の幸せに依存してしまっている。自分の欲望を一度自分で知って、自分で出していって、俺はこういうやつだということをちゃんと把握することが明るい未来の第一歩だなと思うんです。そういう未来になってほしい。

＊　遠野遥
一九九一年生まれ。二〇一九年「改良」でデビュー。二〇二〇年「破局」で芥川賞を受賞。

いとう　ありがとうございます。

いとう　続いて、「紙の動物園」でヒューゴー賞、ネビュラ賞、世界幻想文学大賞の三冠をとっているケン・リュウさんの見解もどうぞ。

■「100年後は予測不可能」ケン・リュウ

ケン・リュウ　わたしは未来学者でして、このような質問をたびたび受けます。そのたびによく言うことですが、わたしたち人間は短期的な変化を過大に見積もり、長期的な変化を過少に見積もる傾向があります。というのも、わたしたちは人間として、**現在目にしている傾向をもとに将来を予期する習性を生まれつき持っている**からです。ですから、現在と未来の間に大きな変化は生じないと考えがちです。変化があるとすればそれは、すべてがもっと速く、明るく、よくなることであり、わたしたちにとって、未来というのは、現在のもっと大きなニューバージョンなのです。こういう傾向の結果、どうなるかはテクノロジーの歴史が示しています。つまり、わたしたちに予期できないものが、最終的にいつも未来を支配するのです。歴史上、いつも説明のつかない混乱が起きて、それらが世界にどんな変化をもたらすのか、わたしたちには知る由もありませんでした。ですから、百年後の世界どうなっているかを予測することは不可能に近いのです。

しかし、ひとつだけ言っておきたいのは、いまから百年後が、あるひとつの重要な点において、現代よりもよい世界になることを願っているということです。このパンデミックが示しているように、わたしたち人間は、共存するすべを見つけることが非常に苦手です。今回、実際に起こったのは、共通の脅威に直面してもなお、世界は一致団結しなかったということです。わたしが見たものは、責任の押しつけ合いや威嚇、戦争の挑発や憎しみであり、わたしが見たかった協調や協力とは正反対のものでした。ですから、百年後には、わたしたちの子孫がみんなで手をつなぎ、人類の危機や脅威を解決する方法を見つけ出していることを願っています。

いとう　ということで、人類の危機の問題ですよね。意外とそういったときにはまとまるのではないかといわれていたけど、そうならなかった。新井さん、どうお考えですか。

新井　おっしゃっている通りですね。百年後の人間はそういうときにまとまってほしいもの

いとう　です。

冲方　冲方さんはいかがですか。

大森　まさに樋口さんがおっしゃっていたことをリュウさんもおっしゃっていますね。

樋口　だいぶリュウさんの方がかしこそうにおっしゃっていましたけどね。わかりやすく。

大森　俺、ケン・リュウと同じこと言ってるなと（笑）。

冲方　言い方が大事。

ハーモニーに達することはできないのかとよく聞きますが、先日、ゴスペラーズの方で学校の教育に力を入れていらっしゃる方に、**ハーモニーとユニゾンを一緒にしている**人がいっぱいいるという話を聞きました。**ユニゾンはみんなが同じ音を発する。**あるいは、ある一人の人間の音に合わせる。そうするとまとまっているように見えるわけです。ですがハーモニーというのは本来、全員がバラバラの音を立てた時、こうすると一緒になるということで全員が努力をすることだと。そうしないとハーモニーにはならない。**自分一人では出せない音をみんなで出すから成り立つのがハーモニー**だと。この態度の違いそのものが、今の世界で現れている。ユニゾン競争をさんざんやったので、そろそろ人間は飽きるんじゃないですかね。

いとう　そうあってほしいですね。

冲方　**ハーモニーの方が絶対未知のものが生まれる**わけですから。そういう意味で、みんなが希望を持ち始めた時代なんじゃないかと思います。

いとう　なるほど。一度違うものを見ているからということでもある。

冲方　あらためて、みんなが協力する未来の方がやっぱりいいよねと思い始めてきたんじゃないかと。今のお話の中で強く感じました。

いとう　ありがとうございます。

いとう　陳さんはどうですか。

陳　私もケン・リュウ先生、みなさんの話に同意します。少し付け加えたいのは文化の多様性と生物の多様性です。これもある意味でハーモニーだと思います。いつも言っていますが、アマゾンにある植物が、おそらくわれわれの病を治す能力を持っているかもしれません。そういったところでは企業間の争いが絶えず、例えば外からビジネス目的で来た企業が土地開発のために熱帯雨林を伐採するでしょう。そのとき同時に病を治す希望の薬まで消滅させてしまっているかもしれません。ですから開発の過程では、人々は相手をよく理解して、平等という観念をもって一緒に協力する方が大事だと思います。例えばあなたは小国の弱小民族、もしくは原始的な集落に住む人で、われわれと文明の程度に差があるとします。私たちのほうがたくさん知識がありますが、**弱そうに見える文明が力を秘めている**可能性もあります。それは最終的に科学となり、すべての人類を幸せにする技術となりえます。生物にも同じことが言えます。海もそうです。海にはたくさんの秘密が潜んでいます。今、すべての海を汚してしまったら、一滴の海の水、われわれの生存の最後の希望を消すことになるかもしれません。ですから世界的な規模でこういう問題を考えていく必要があると思います。一見それほど発達していない地域の文明を、自分たちのものだと考えたり、自分の視野の一部と考えてはいけないのです。人類は全人類であるべきです。地球は全人類の地球であるべきだと思うのです。

いとう　ありがとうございます。「100年後の世界は●●」という議題に、新井さんに最後に答えていただきます。

■「100年後はあまり変わっていない」新井素子

新井　樋口さんと一緒なのですが、最初の大森さんの発言からすると、SF作家の発言じゃないですね。それこそ、この百年で文化はすごく変わってきている。私の祖父母の世代は、今のように携帯電話を持っていることすら信用していないだろうし、こんなに社会が狭くなって、日本国民が普通に海外に行くこと自体も信じてくれないだろうし、そこから百年前の江戸の人には、そもそも外国人が日本に来ること自体信じてくれないだろうなと。そういう意味で社会その他はすぐに変わっていくもので、それこそどうなるかがまったくわからないものだと思うんです。百年後に月に移民できているといいなと個人的に思うし、サイボーグにはなりたくないなとも思う。でも、**人間そのものは**実は百年前も二百年前も、それこそ千年単位でも**ほとんど変わっていない**と思うんです。生き物として人類が変わっていないという以上に、文化は変わっても人間性はたいして変わっていないというか、同じ人間がずっと続いているから、人間社会が成り立っているような。例えば、日本の古典の『源氏物語』――これは千年ぐらい前ですけど――いまだに日本人は読んでいますよね。いろんな新訳が出てきて、それを読んでいる人はそれなりに感動して、この気持ちわかるな、と思ったりして。社会が変わってから源氏物語を読むと、これは子供に対する性的虐待じゃないかという意見も出てきて、いろんな読み方がされるのだけど、そういうこと全部判って、でも、全部物語として納得して読んでいる。感動もできる。イギリスの人だって、シェイクスピアをいまだに読んでいるし、わかるよねと思わない人もいるだろうけど、思う人もある程度いる。結局人間はずっと変わってはいるのだけど、根本的なところで変わっていないから、私たちは三百年前の人の話を読んでも共感できるし、まったく文化が違う中国とかの国の話を読んでも感動できるし、行ったことがない国の話を読んでも感動できる。人間ってあまり変わらないのだなということだと思います。これはSF作家の意見ではないかもしれないですね。

いとう　大森さん、どうですか。

大　森　感情レベルでは本当に変わってないですよね。嫉妬とか、愛情とか、憎しみとか、人間の脳にインストールされているオペレーティングシステム、基本ソフトみたいなものはぜんぜん変わっていない。よくわからないアプリの種類が増えたりはしているかもしれないけど、**人間の基本ソフト自体はバージョンアップしてない**。なのにテクノ

ロジーはどんどん進歩するから、いろんな問題が生じている。もちろん、変わらないから面白いというのもあると思うんです。でも、SFはあんまりそういうところを描かない。変わるとしたらどうなるかを描く。

新井　**変わらないから、人類社会を信用できる**というところはあると思いますよ。本質的に変わっていない人間の部分はイヤなところもいっぱいあるけど、いいところもいっぱいあるから、私は人間が好きだなと思えるわけじゃないですか。

いとう　ここは、人間が好きであるべきか、人間が嫌いであるべきかにもよるけど。

新井　それは趣味だよね。私の。

いとう　樋口さんはどうです。

樋口　僕は人間が嫌いですけど、自分は人間であることから逃れられないので引き受けないといけないですね。面白いなと思ったのは、みんなＳＦ作家で、たとえば冲方さんとか、陳さんはどうお考えなのかわかりませんが、新井さんや僕もそうなんですけど、意外とドラスティックでアンチヒューマニスティックなＳＦっぽい思想が出てこないところです。これは自分が日本人だからなのかなと個人的にずっと思っていたんですが、文明が前進するという感覚があまりしっくりこないというのが僕の中でけっこうある。日本人って、文化的に何度も寺とかを壊す前提というか、災害大国だし、寺とかを壊してそのサイクルの中で常に変わらずやっていくところがあるじゃないですか。

いとう　木造社会ね。

樋　口　僕は田舎で生まれて育っているのでそういう感覚が身近にあるし、じいさんばあさんはどんどん死んでいくのだけど、風景はあまり変わらないなと思っていて。文明がドラスティックに前に進んでいくという感覚がＳＦでは書かれているのだけど、僕の身体的な感覚ではしっくりこない。今日の話はそういうことが多かったので面白かったですね。

いとう　陳さんはどうですか。むしろ上海はドラスティックに変わっていると思うんですが、人間自体は変わらないと思いますか、変わっていくと思いますか。

陳　中国は過去四十年の変化が非常に大きなもので、私が生まれてから社会が非常に大きな変化をしました。両親の世代には想像もできなかったことです。五年、十年ごとに中国は大きな変化を迎えています。今現在、大都市、ハイテク、伝統的習慣が変わりつつあります。新井先生のお話にもありましたが、このプロセスの中で、人として変わらないものがあります。人々の繋がり、感情、信頼、信念、自分の帰属感。自分がどこに属しているかというもの、自然への親近感、幸せを求めるということは変わらないと思います。私はSFを書くことを選びましたが、大きな理由としては、**SFはみなさんに多くの異なる想像力を与えられる**からです。この想像力は時間や空間を越えて、多くの違った人たちに影響を与えることができ、彼らはそこからヒントや感動、恐怖でもなんでも得ることができます。これが人類や**未来への信念**に変わると思っています。信念によって人間は今日まで一歩ずつ前に来たのではないかと思います。人類は救われるべきだ、文明は保護されるべきだと多くの人が思っています。日本の多くのアニメもこのようなテーマ、人類文明には愛、信念、希望があることが描かれています。ちょっと古臭いかもしれませんが、私も信じています。ものを書くことによってこのような信念を多くの人に与えられる、そう信じるようになりました。ありがとうございます。

いとう　最後に、冲方さんお願いします。

冲方　変わる変わらないでいえば、五百年前の生活と今の生活はかけ離れていますけど、日本人は何もかもが変わったにも関わらず、たいして変わっていない。それは、日本人が島国に住んでいるからこそ得られたアイデンティティという見方もありますが、人間自身がすごく強い**自己一貫性を持とうとする力**がある。同時にそれは、どれだけ変化があったとしても、**失ってはならないものを維持しようとする本能**だと思うんです。社会的な秩序や絆だったり、本当に価値のあるものを、経済的には価値がないとしても、文化的な価値とか、自分たちのルーツを教えてくれるという意味での価値、そういったものを温存しようとする力。さらに、**自分たちがこれから続いていくであろうという予感**がなければ、百年後、千年後を想像しようとは思わないです。われわれはこれからも変わらず生活を営んでいく、何があっても未来を失わずに生きていくという力があるから、一貫性もある。どちらの力が最初かはわかりませんが、符号的に自分たちの中に内在していると思うんですけど。やはり、いまこの、長いようで短い時間の中で、人間の根底の力についてのいろんな言葉がうかがえて、たいへん希望が持てる時間でした。

いとう　こちらこそです。ＳＦ作家の皆さんと人間について語ってきた時間だったと思います。

いとう　宇宙人ではなく地球人についてしゃべってきたんですけど、みなさんにはこんな質問にも答えていただいております。

「地球脱出時に連れていくなら犬か猫か」

いとう　これはシリアスな問題でもある。顧問、これは大事な議論になるんですかね。

大　森　そうですね。僕が昔翻訳した、ヴォンダ・マッキンタイアの『星の海のミッキー』*という小説があるんですけど、それはいかにして猫を宇宙に連れていくかという、女の子の冒険物語でした。宇宙と犬とか猫というのはSFの中ではいろいろと描かれているので、そのときに犬SFをとるか猫SFをとるか。『夏への扉』**派と『都市』***派で踏み絵になっているというか。

いとう　では、まず樋口さんはどちらですか。

---

* ヴォンダ・N・マッキンタイア『星の海のミッキー』（*Barbary*, 1986・ハヤカワ文庫SF）少女バーバリーと子猫のミッキーが繰り広げる宇宙冒険物語。一九八九年、大森望（「森のぞみ」名義）の日本語訳が刊行。

樋口　僕は、ノーコメントです。
一同　(笑)。
樋口　こだわりがないので面白いことは言えない。どちらでもいいですが、クリフォード・シマックの『都市』は、すごく好きですね。人類は自分の文明を一度閉じて、犬に文明を明け渡すという話だと思うんですけど、次は誰に文明を明け渡すのかということを考えるのが好きなんですけど、犬でも猫でもどちらでもいいかなと。
大森　『都市』は、犬たちが暖炉を囲んで、「昔、この星には人間という生き物がいて、すごい文明を作っていたんだよ」という人間の思い出話をする――という体裁の連作短篇集です。犬にまかせれば、なんとかしてくれるかもしれない。
いとう　陳さんはどうですか。
陳　私は猫を選びます。そもそも私は猫を飼っています。猫を連れて宇宙に行きたいですね。犬より猫の方が飼いやすいですから。犬ですと散歩が必要ですが、宇宙船のスペースでは狭くてできません。しかも臭いもありますし……。何日もお風呂に入れてやれないと臭うでしょうね。でも猫ならそういうことはありません。お風呂に入れなくても大丈夫です。それから、猫の頭脳は犬よりも明晰ですから、訓練すればいい助手になるでしょう。

いとう　猫派ですね。冲方さんは。

冲方　僕は動物としては猫が好きなんですけど、今回のお題でいえば、もう犬以外にないだろうと。

いとう　根源的犬派ですね。

冲方　理由は二つあって、犬は忠実なので、食糧がなくなったときに死んでくれるんです。殺すときに飼い主に対してめったに抵抗しない。もう一つ、なぜ猫はだめかと言うと

＊＊　ロバート・A・ハインライン『夏への扉』（*The Door into Summer*, 1956・ハヤカワ文庫SF・福島正実訳）タイムトラベルSFの名作。作中で猫の「ピート」が活躍。

＊＊＊　クリフォード・D・シマック『都市』（*City*, 1952・ハヤカワ文庫SF・林克己訳）人類滅亡後、犬が文明を築くまでの歴史を綴る古典SF。

ですね、猫は低重力下だと虎になるからですね。猫のペットをなぜ大型化しないかというと、人間をたやすく食い殺せてしまうから、猫を宇宙船でつれていったら、低重力の影響で三世代後ぐらいにはライオンか虎になっていると思います（笑）。

いとう　猫の三世代はけっこう早いですよ。

冲方　あっという間にこっちがエサになりますね。

いとう　エサ問題として、犬ですね。

冲方　食うか食われるかを考えたら犬だろうと。

大森　犬は大きくならない？

冲方　犬も大きくなりますけど、従順ですから。

いとう　新井さんはどっちでしょうか。

新井　私は猫です。今、猫が二匹いるので。ただ、今の冲方さんのご意見に対して反論があります。今、猫を飼っているひとはほとんどが猫の健康上の理由で去勢手術をしていますので、二世代目は発生しません。

いとう　なるほど。海外作家のお三方にも同じ質問をしまして、こんな質問に丁寧にお答えいただいています。

劉慈欣　その時は、猫や犬みたいな仲間はもちろんいいですが、それよりそばに人間がいるほうがベターです。それが難しい場合、こういうパートナーがほしいです。大量の情報を搭載された人工知能か、ロボットがいいです。長い目で見れば、ひとり宇宙にさまよっていて、最終的にその孤独から逃れられるものは、生命体との付き合いではなく、人類が残した壮大な文化資産です。それはあなたを孤独から救い出し、生きていく力を与えてくれるでしょう。

ケン・リュウ　わたしは犬も猫も両方好きですが、これに関しては亀を選ばざるを得ません。今を生きる側面もありますが、亀は将来に考えを向けます。亀はのろまですので、誰も彼らを助けることなど考えもしないでしょう。なので私はきっと亀を連れて滅びる地球を脱出しますね。

キム・チョヨプ　先に言っておくと、わたしは猫が好きです。なんというか、独立的なので。犬は毎日散歩させなければなりませんよね。でも、猫は室内で生活する動物だし、わたしも同じなので、基本的には猫の方が反りが合うと思っています。

でも、もしも地球ではない別の場所に行って、そこに適応する必要があるときは、犬にそばにいてほしいです。猫にそばにいてくれと望むことはできないでしょうから。きっとそばを離れていってしまう。そうしてどこかで、ひとり悠々自適に暮らすと思います。そもそも猫は、そういった野性を備えていますから。そういえば、猫は人間と共に暮らしながらも、不思議なことに、野性を失わない特殊な動物だと本で読んだことがあります。

どちらかというと、犬の方がもう少し、人と暮らす方向に進化した動物なので、見知らぬ地でのパートナーとしては犬がいいんじゃないか。でも、可能であれば猫も連れて行くと思います。パートナーというより、「みんな、元気で暮らして、またどこかで会おうね」という感じで。

いとう　ありがとうございます。数えると、犬が2、猫が2、亀が1、人が1ということになりますが、これは大森さんが決めてくれればいいですか、大森さんはどうですか。

大　森　僕は猫派ですけど、うーん、これは引き分けですね。つまり、宇宙船の中なら猫がいいけど、よその惑星に行って新生活を始めるなら犬がいいと。旅の長さに依存する質問だと思います。しかし、いちばん学ぶべきは、この質問に亀と答える勇気ですね（笑）。猫か犬かと聞かれているのに亀とかロボットと平気で言える人が作家として

いとう　成功するんじゃないかと。

いとう　確かに、うらやましいですよ。ということで、長々とお送りしてきましたが、第三回世界ＳＦ作家会議はそろそろ閉会ですが、まず、顧問。実際やってみた感じとしていかがでしたか。

大　森　いろんな意見が出て、面白かったですね、今回は。非常に有意義で、ヒートアップしたところもあり。

いとう　よかったです。大森さんがいちばんけしかけていた樋口さんはどうでした。

樋　口　めちゃ楽しかったですね。亀はすごく感銘を受けました、なるほどみたいな。

いとう　陳さんはどうでしたか。

陳　　　とても楽しかったです。みなさんから多くの話を聞きながら、触発されましたし、新しい気づきがありました。ぜひこういった意見を作品の中に取り入れていきたいと思います。まずはそれを皆さんに同意していただきたいですね。

いとう　冲方さん、お願いします。

冲　方　いろんなネタをいただいて、思えば**僕も若いころはたぶん亀と言えたんだろうな**と（笑）。もう一回そこを、百年後に向けて若返らないといけないですね。楽しかったです。

いとう　ありがとうございます。新井さんはどうですか。

新　井　楽しかったです。やる前は百年後の世界はどうなっているというので、本質的に変わっていないと書いちゃってどうかなと思っていたんですが、予測不能とかわからないという方がいらしてよかったです（笑）。

いとう　みんな、あんな答えをして（笑）。でも、いろいろと嚙み合った議論もできましたし、みなさんの個性もそれぞれにわかりましたし、面白かったです。

大　森　すごく世界ＳＦ作家会議らしい感じが。

いとう　そうですね。世界、人類、人間を語ってきましたが、第三回世界ＳＦ作家会議はこれでお開きです。第四回に向けてがんばっていきたいと思いますので、みなさんよろしくお願いします。さようなら。

大　森　さよなら。

一　同　さようなら。

2121
大橋裕之
100年前のみなさん
こんにちは
オレは今
2121年の日本で暮らしています
100年後の世界のことを
知りたいって？
すんません！
オレ無人島生まれ
無人島育ちやったから
世の中のことあんま
知らへんのよ
お役に立てず
ほんますんません
ちなみにオレは
2080年生まれの41歳
死んだ父ちゃんと母ちゃんは
本土で生まれたから
生前　いろんな話は聞いたこと
あんねんけど

なんか
オレが生まれる前に
でっかい地震があって
ガタッ
ガタッ
ガタッ
ほんで なんか
でっかい山の形が変わったとか
言うてたな
その後 この島に
移住してきてオレが
生まれたってわけです
ちなみにオレの名前は
てるおって言うんやけど
なんや よう知らんけど
父ちゃん母ちゃんが好きだった
芸人さんの名前からとったみたい
です
その…
あ!
また来たな

たまに本土から
流れついてくるんですよ
よう分からんけど
ロボットみたいなのが
おーい
大丈夫？
どっから来たん？
長野です
長野！
父ちゃん母ちゃん
住んでたとこや！
あ！
こいつに聞けば世の中のこと
たぶんいろいろ分かりますよ
？

東京ってどんなとこ？
今はほとんど人は住んでません
長野には沢山住んでますよ
へぇー…
あ！マッキーてるおって芸人さん知ってる？
知ってますお笑い第21世代の中でも人気がありました
へぇーよう分からんけど
ギャグが流行ってました
ギャグ？何それ
やってみましょうか？
うん

眠いから
あさってやるわ！
つまらなかったですか？
いや

父ちゃんのくちグセと
同じやったから…
泣きそうになってもた

翌朝
オレは
舟を作り始めた
ギーコ
ギーコ
ギーコ
ギーコ
父ちゃん母ちゃんが暮らしてた
長野に行ってみたいと思ったから
そういえば
なんでこの島に
来たの?
疲れてしまって…
え?
なんかあったの?
……

放送版協力：〈声優〉石井モタコ（オシリペンペンズ）、吉田靖直（トリプルファイヤー）／〈音楽〉難波弘之

第三回世界SF作家会議　閉会の辞

この〝底知れぬ物質宇宙の、ちっぽけな孤島に
偶然発生した知的生物群としての人間意識〟が
もっと早く普遍化されていたならば…

われわれ人類は、もっと早くその全人類的意識を
獲得することによって、冥蒙たることをやめ…、
相互殺戮の、侮辱や憎悪の、エネルギーを…
真の人類のための闘い――
貧困と飢餓と冥蒙と疫病に対する闘いに、
そして認識のための闘いに…
ふりむけていたかも知れない。

――小松左京『復活の日』（一九六四年）

アフタートーク

いとう　第三回はきちんとしていましたね。

大　森　第二回とはずいぶん違うというか、たいへん実のある話が多くて。

いとう　振幅も大きければ大きいほど面白いと思いますし、顧問の百年後という設問の仕方がよかったじゃないですか。

大　森　何年後がいいのかというのは難しいところなんですけど、百年後だとつまらないという考えも当然あると思います。

いとう　捉えにくいというか。

大　森　たとえば「ブレードランナー」は二〇一九年の話を一九八二年につくっている。四十年後ぐらいの設定で、しじゅう酸性雨が降ってる暗い未来なんですが、車は普通に空を飛んでいる。その予想はぜんぜん外れてたわけです。人間と区別がつかないアンドロイドも実現してないし、宇宙開発の未来も実現していない。今あるもので言うと、携帯電話やスマホみたいなものを四十年前に予想できていたＳＦはほとんどない。Ｓ

Ｆの予測はだいたい当たらない（笑）。

いとう　インターネットが出てくるとか、それまでなかったものに関しては想像しにくいですよね。車はあったので、それを飛ばすかということはしているわけだけど、足さないでゼロから生まれるものはとても難しい。偶然の要素もたくさんあるんでしょうね。

大　森　そうなんです。どうしても今の延長で考えてしまうので、そうじゃない想像力をいかに発揮するかというところでＳＦ力が試される。

いとう　みなさんにとっては、よしやってやろうというファイトが沸くクエスチョンだったのではないかと思いました。

大　森　今回は、初めて海外からディスカッションに加わっていただきました。中国ＳＦのトップランナーである陳楸帆さん、一九八一年生まれ。劉さんは僕やいとうさんとほぼ同世代のベテランですが、陳さんは若手のトップ。バイドゥやグーグルに勤めていた経験があり、ＩＴに強く、知識も豊富で、おまけに英語も堪能というスーパーマン。しかもすごいイケメンという。

いとう　形もいいし、中身も知識人という方で、よく我々に付き合ってくれたなと。

大　森　しゃべることも理路整然としているし。

いとう　いちばんまともなところを陳さんにやっていただいて、その振幅をほかのメンバーが担っている構図だったと思います。

大　森　しかも、気を使われたのかどうか、最初に伊藤計劃さんの『ハーモニー』の話を振ってくれて、『ハーモニー』が通奏低音、キーワードになって、ユニゾンとハーモニーの違いまでつながっていきましたから、まるで綿密な構成台本でもあるかのようで、びっくりしました。

いとう　一人ひとりが物書きだということはすごく大きくて、しゃべっているあいだに全員でひとつの大きな物語をつくっているところがあるから、さきほど言っていたあの人の言葉をちょっとひっかけて表現してみようという。それこそハーモニーになっている感じがありましたね。

大　森　それぞれのSF作家の芸風の違い。冲方さんは日本の歴史の話をして、新井さんは最初から最後まで「新井素子」。それぞれの個性の違いが際立って、いいアンサンブルになっていたと思います。

いとう　逆に言うと、次に、もしやらせてもらえるのならば、誰を呼びましょう。これは顧問の双肩にかかっていますよ。第二回は失敗しちゃってますから。

大　森　いやいや、あれは大成功ですよ（笑）。何回観ても笑える。

いとう　バラエティとしては大成功です（笑）。

大　森　年に一回ぐらい観たいですね。小川さんは観ないかもしれませんが（笑）。

いとう　アメリカの作家で誰が呼べるかなあと。

大　森　リモート出演だったら、だれでも可能性がありますよね。ケン・リュウさんはビデオ参加でしたが、生でリモート会議に参加してもらいたい。もちろん、劉慈欣さんやキム・チョヨプさんにも。

いとう　すごい人がすでに出ているのだから、不可能じゃないんだなと。味を占めちゃった。

大　森　実際、世界SF大会などの国際イベントは昨年からリモート開催になっていて、思いがけない有名作家がシンポジウムやパネルディスカッションに自宅からリモート出演しています。それを思えばだれが出てもおかしくないですね。思った以上に同時通訳がうまく機能していましたから。

いとう　グレッグ・イーガンとか、いろいろ。

大　森　イーガンが出たら世界的大ニュースですけどね。ウィリアム・ギブスンやテッド・チャンはじゅうぶん可能性がある。みなさん、どしどしリクエストを送ってください。交渉はフジテレビがなんとかします（笑）。

いとう　メール出すのは自由ですからね（笑）。

大　森　SF作家の人はそんな法外な出演料を要求したりしないと思います。

いとう　ほかのSF作家としゃべることを喜んでくださるでしょうし。そこにつけこんで。頑張りたいと思いますので、次回もよろしくお願いします。

大　森　よろしくお願いします。

後記

大森 望

まさか、こんな本が出るとは。

という以前に、「まさかこんな番組が実現するとは」とか、「まさか二回目があるとは」とか、いくつもの〝まさか〟がとんとん拍子に実現した挙げ句、こうして本書が出来上がった。いやまったく、ウソみたいですね。

番組を企画したのは、フジテレビ第二制作（バラエティ班）の黒木彰一ゼネラルプロデューサー。「SMAP×SMAP」や「さんタク」など数々の人気番組のCPを務めてきたベテランですが、実は大変なSFファン。その黒木さんが書いた第一回の企画書には、

〝パンデミック vs 想像力——アフターコロナの世界。私たちに待ち受けるのはユートピアか？ ディストピアか？ 人類が直面する未曾有の大問題に挑むのは、医者でも、経済学者で

も、もちろん政治家でもなく、世界（主に日本）のＳＦ作家たち。膨大な知見に裏打ちされた豊かな想像力でアフターコロナの世界を語り尽くす！〞とある。

この企画書をもらったのが二〇二〇年五月二十二日で、第一回の収録は六月六日。「ＳＦ作家ばかり集めて地上波の番組になるの？」というこちらの心配をよそに、黒木ＧＰの陣頭指揮のもと、収録は滞りなくあっという間に終了。それから七週間後に放送された「世界ＳＦ作家会議」第一回は、イラストや音楽や編集含めて完璧に料理され、驚くほど収まりのいいテレビ番組になっていた。国内外のＳＦ作家たちの発言は、番組の素材としてすばらしくうまく生かされていたのである。

この第一回がたいへん好評だったことに気をよくした黒木ＧＰはシリーズ化を企画。さらに、早川書房の早川淳副社長から、ぜひ書籍化したいとの提案があり、早川書房全面協力のもとで、第二回と第三回の収録が実現。『三体』の劉慈欣に加えて、（『三体』の英訳者でもある）『紙の動物園』のケン・リュウ（アメリカ）、『わたしたちが光の速さで進めないなら』のキム・チョヨプ（韓国）がビデオ参加。さらに上海から、『荒潮』の陳楸帆（中国）が同時通訳つきでリモート討論に加わって日本のＳＦ作家たちと直接語り合い、「世界ＳＦ作家会議」の名に恥じない陣容が整った。

日本側だけ見ても、一九七七年デビューの新井素子から二〇一七年デビューの樋口恭介まで、キャリアに四十年の幅がある第一線のＳＦ作家たちが集まり、それぞれの個性を全開にして持論を展開している。個々のＳＦ作家のキャラが（場合によっては小説以上に）はっきり出たディスカッションになっているのではないか。

地上波放送バージョンは非常に真面目な討論番組としてきっちり編集されているのに対し、討論部分をほぼノーカットで収めた YouTube 版のほうはＴＶバラエティ色が濃く（とくに第二回）、両方を見比べるとまるで印象が違うのも面白い。

対するこの書籍版はというと、音楽や音声がないかわり、YouTube 版でもカットされていた部分まで復活させて、読める討論本としてさらに内容をブラッシュアップ。番組用に描き下ろされた短篇漫画も含めて、この一冊の中で〝ＳＦ作家の頭の中〟が見通せる造りになっている。

思えば一九七〇年代はＳＦ作家の座談会が大人気で、当時高校生だった僕は、大笑いしながらその自由闊達融通無碍奇想天外なやりとりを楽しんでいた。それらの一部は『ＳＦ作家オモロ大放談』（いんなあとりっぷ社）や、『なぜＳＦなのか？　奇想天外放談集①』『オレがＳＦなのだ　奇想天外放談集②』（奇想天外社）などにまとめられていて、いま読み返すと呆れてしまうほどヒドい発言も多いのだが、その時代のＳＦが持つ熱気と、ＳＦ的発想のとてつもない爆発力を感じさせることは事実。

大阪万博と第一回国際ＳＦシンポジウムから半世紀を経たいまも、そうしたＳＦ的発想が持つ力はまだ衰えていないと信じている。「若い頃はＳＦも読んだけど最近はちょっと……」とか「最近の日本のＳＦ作家は名前も知らない」とかいう読者が、本書でＳＦ作家の発想の面白さに触れて、それをきっかけに〝いまのＳＦ〟を手にとってくれればこれにまさる喜びはない。併せて、「世界ＳＦ作家会議」がまた開催されることも祈りつつ、縁があればまたどこかで。

中国語翻訳協力／光吉さくら
韓国語翻訳協力／カン・バンファ

陳 楸帆（チェン・チウファン）
1981年、広東省生まれ。Googleや百度への勤務を経て、数々の雑誌にＳＦ短篇を発表。2013年の第一長篇『荒潮』の日本語訳が2020年刊行された。

キム・チョヨプ
1993年生まれ。『わたしたちが光の速さで進めないなら』が韓国内でベストセラーに。2020年には同作の日本語訳が発売され注目を集める。

■コミック

森泉岳土（もりいずみ・たけひと）
1975年生まれ。漫画家。最新刊『爪のようなもの・最後のフェリー その他の短篇』。他の著作に、コミカライズ『村上春樹の「螢」・オーウェルの「一九八四年」』。

宮崎夏次系（みやざき・なつじけい）
1987年生まれ。漫画家。初単行本の『変身のニュース』が、文化庁メディア芸術祭マンガ部門の審査委員会推薦作品に選出され、次作『僕は問題ありません』が、各コミック・ランキングにランクイン。近作は『と、ある日のすごくふしぎ』。

大橋裕之（おおはし・ひろゆき）
1980年生まれ。漫画家。著作に『ニューオリンピック』『音楽 完全版』『シティライツ 完全版』『遠浅の部屋』『ゾッキ 大橋裕之 幻の初期作品集』など。

■司会

いとうせいこう
1961年生まれ。作家・クリエイター。音楽や舞台、テレビなどでも活躍。88年『ノーライフキング』でデビュー。2013年『想像ラジオ』で野間文芸新人賞受賞。近作『福島モノローグ』。

■顧問

大森 望（おおもり・のぞみ）
1961年生まれ。翻訳家・書評家・評論家・アンソロジスト。劉慈欣『三体』など訳書多数。ＳＦ評論活動も旺盛に行う、日本ＳＦ界のオーガナイザー。

■出演作家

新井素子（あらい・もとこ）
1960生まれ。高校２年生のとき、『あたしの中の……』でデビュー。以後43年にわたって活躍中。著作に《星へ行く船》シリーズ、『グリーン・レクイエム』『絶対猫から動かない』など。

冲方丁（うぶかた・とう）
1977年生まれ。大学在学中にデビュー。ＳＦから時代小説、漫画原作、アニメ脚本まで幅広く執筆。著作に《マルドゥック》シリーズ、『天地明察』『光圀伝』など。最新作に『アクティベイター』『生き残る作家、生き残れない作家』（2021）。

小川 哲（おがわ・さとし）
1986年生まれ。ディストピアＳＦ『ユートロニカのこちら側』（2015）でデビュー。代表作『ゲームの王国』は、恐怖政治下のカンボジアから始まる壮大なＳＦ巨篇。近刊『嘘と正典』。

高山羽根子（たかやま・はねこ）
1975年生まれ。『首里の馬』（2020）で芥川賞を受賞。近刊は『暗闇にレンズ』。

樋口恭介（ひぐち・きょうすけ）
1989年生まれ。2017年、『構造素子』でデビュー。会社員として勤務する傍ら、小説・評論を執筆。2020年には評論集『すべて名もなき未来』が刊行。

藤井太洋（ふじい・たいよう）
1971年生まれ。2012年、電子書籍で個人出版した「Gene Mapper」が話題になり、その改稿版『Gene Mapper - full build- 』で商業出版デビュー。著作に、『オービタル・クラウド』『ワン・モア・ヌーク』など。

劉 慈欣（リウ・ツーシン／りゅう・じきん）
1963年生まれ。《三体》三部作が世界で2900万部を超えるベストセラーに。『三体』でアジアで初めてＳＦ最大の賞「ヒューゴー賞」を受賞。

ケン・リュウ
1976年生まれ。代表作「紙の動物園」でヒューゴー賞・ネビュラ賞・世界幻想文学大賞を受賞。短篇執筆の傍ら、中国ＳＦ小説の英語翻訳も精力的に行っている。近刊は『宇宙の春』。

「世界ＳＦ作家会議」番組スタッフ

企画	黒木彰一（フジテレビ）
プロデュース	下川 猛（フジテレビ）
構成	竹村武司
演出	村尾輝忠
ディレクター	温井精一（フジテレビ）
プロデューサー	渡辺 資
制作補	古川 周（フジテレビ）
広報	清野真紀（フジテレビ）
挿絵	森泉岳土
テーマ音楽	牛尾憲輔
ナレーション	マキタスポーツ
ＶＴＲ翻訳	王 雨舟／中澤しーしー／平井こころ／友田綾乃
同時通訳	朴 梅花／李 艶平
協力	小松左京ライブラリ

＊「世界 SF 作家会議」は、YouTube チャンネル「8.8 チャンネル」でご覧いただけます。（2021 年 4 月現在）

世界ＳＦ作家会議
2021年４月20日　初版印刷
2021年４月25日　初版発行
＊
企　画　フジテレビ
編　者　早川書房編集部
発行者　早　川　　浩
＊
印刷所　三松堂株式会社
製本所　大口製本印刷株式会社
＊
発行所　株式会社　早川書房
東京都千代田区神田多町２－２
電話　03-3252-3111
振替　00160-3-47799
https://www.hayakawa-online.co.jp
定価はカバーに表示してあります
ISBN978-4-15-210018-4　C0095

Printed and bound in Japan
乱丁・落丁本は小社制作部宛お送り下さい。
送料小社負担にてお取りかえいたします。

三体

The Three-Body Problem

劉 慈欣(リウ・ツーシン)

大森 望、光吉さくら、ワン・チャイ訳

立原透耶監修

46判上製

尊敬する物理学者の父・哲泰(ジョータイ)を文化大革命で惨殺され、人類に絶望した中国人エリート科学者・葉文潔(イエ・ウエンジエ)。失意の日々を過ごす彼女は、ある日、巨大パラボラアンテナを備える謎めいた軍事基地にスカウトされる。そこでは、人類の運命を左右するかもしれないプロジェクトが極秘裏に進行していた……。アジア初のヒューゴー賞長篇部門に輝いた、現代中国最大のヒット作

三体Ⅱ 黒暗森林（上・下）

The Dark Forest

劉慈欣（リウ・ツーシン）

大森 望、立原透耶、上原かおり、泊 功訳

46判上製

人類に絶望した天体物理学者・葉文潔（イエ・ウエンジエ）が宇宙へと向けて発信したメッセージは、新天地を求める異星文明・三体世界に届き、かれらは千隻を超える侵略艦隊を地球へと送り出した。この絶望的な状況を打開するために、人類は前代未聞の「面壁計画（ウオールフェイサー・プロジェクト）」を発動。人類の命運は、四人の面壁者に託されることとなった……！　全世界で2900万部を突破した超話題作〈三体〉第二部

ケン・リュウ短篇傑作集1

紙の動物園

The Paper Menagerie and Other Stories

ケン・リュウ
古沢嘉通編・訳
ハヤカワ文庫ＳＦ

香港で母さんと出会った父さんは、母さんをアメリカに連れ帰った。泣き虫だったぼくに母さんが包装紙で作ってくれた折り紙の虎や水牛は、みな命を吹きこまれて生き生きと動きだした。魔法のような母さんの折り紙だけがずっとぼくの友達だった……。数々の文学賞に輝いた表題作など、第一短篇集である単行本版『紙の動物園』から7篇を収録した、胸を打ち心を揺さぶる珠玉の短篇集

Waste Tide

陳楸帆（チェン・チウファン）

中原尚哉訳

新☆ハヤカワ・SF・シリーズ

米米（ミーミー）は中国南東部のシリコン島で日々、電子ゴミから資源を探し出して暮らす最下層市民〝ゴミ人〟だ。彼女たちの稼ぎは何代にもわたって島を支配してきた有力御三家に吸い取られていた。しかしテラグリーン・リサイクリング社の経営コンサルタント、ブランドルと陳開宗（チェン・カイゾン）が島を訪れてからすべては変わり始める……。『三体』の劉慈欣が激賞した、中国SFの超新星によるデビュー長篇